1580 242 732

U0349947

中华人民共和国国家标准

智能建筑设计标准

Standard for design of intelligent building

GB 50314 - 2015

主编部门：中华人民共和国住房和城乡建设部
批准单位：中华人民共和国住房和城乡建设部
施行日期：2 0 1 5 年 1 1 月 1 日

中国计划出版社

2015 北 京

中华人民共和国国家标准

智能建筑设计标准

GB 50314-2015

☆

中国计划出版社出版发行

网址：www. jhpress. com

地址：北京市西城区木樨地北里甲 11 号国宏大厦 C 座 3 层

邮政编码：100038　电话：(010) 63906433 (发行部)

北京市科星印刷有限责任公司印刷

850mm×1168mm　1/32　5.5 印张　139 千字

2015 年 10 月第 1 版　2021 年 12 月第 6 次印刷

☆

统一书号：1580242·732

定价：33.00 元

版权所有　侵权必究

侵权举报电话：(010) 63906404

如有印装质量问题，请寄本社出版部调换

中华人民共和国住房和城乡建设部公告

第 778 号

住房城乡建设部关于发布国家标准
《智能建筑设计标准》的公告

现批准《智能建筑设计标准》为国家标准,编号为 GB 50314—2015,自 2015 年 11 月 1 日起实施。其中,第 4.6.6、4.7.6 条为强制性条文,必须严格执行。原《智能建筑设计标准》GB/T 50314—2006 同时废止。

本规范由我部标准定额研究所组织中国计划出版社出版发行。

中华人民共和国住房和城乡建设部
2015 年 3 月 8 日

前　言

根据住房城乡建设部《关于印发〈2011 年工程建设国家标准制订、修订计划的通知〉》（建标〔2011〕17 号）的要求，由上海现代建筑设计（集团）有限公司会同有关单位编制完成。

在编制过程中，编制组经广泛调查研究，认真总结实践经验，参考有关国际标准和国外先进标准，并在广泛征求意见的基础上，对《智能建筑设计标准》GB/T 50314—2006 进行了修订。

本标准共分 18 章，主要技术内容是：总则、术语、工程架构、设计要素、住宅建筑、办公建筑、旅馆建筑、文化建筑、博物馆建筑、观演建筑、会展建筑、教育建筑、金融建筑、交通建筑、医疗建筑、体育建筑、商店建筑、通用工业建筑。

本标准修订的主要技术内容是：

(1)根据智能建筑工程设计的需要，增加了第 3 章工程架构；

(2)对智能建筑的分类作了相应调整；

(3)对其他各章内容进行了适时的技术提升、补充完善和必要的修改。

本标准中以黑体字标志的条文为强制性条文，必须严格执行。

本标准由住房和城乡建设部负责管理和对强制性条文的解释，由上海现代建筑设计（集团）有限公司负责具体技术内容解释，执行过程中如有意见和建议，请寄送上海现代建筑设计（集团）有限公司（地址：上海市石门二路 258 号，邮政编码：200041）。

本标准主编单位、参编单位、主要起草人和主要审查人：

主 编 单 位：上海现代建筑设计（集团）有限公司

参 编 单 位：华东建筑设计研究院有限公司

上海建筑设计研究院有限公司

北京市建筑设计研究院

中国电子工程设计院

中国建筑设计研究院

中国建筑标准设计研究院

中国建筑东北设计研究院

新疆建筑设计研究院

中国移动通信集团设计院有限公司

江苏省土木建筑学会

公安部第一研究所

同方股份有限公司

上海国际商业机器工程技术有限公司

太极计算机股份有限公司

上海华东电脑系统工程有限公司

上海信业智能科技股份有限公司

主要起草人: 赵济安　邵民杰　陈众励　孙　兰　谢　卫

　　　　　　吴悦明　洪劲飞　王小安　蔡增谊　王　晔

　　　　　　成红文　吴文芳　林海雄　涂　强　曹承属

　　　　　　瞿二澜　邓　清　李　军　陆振华　戴建国

　　　　　　钱克文　孙成群　张文才　李立晓　郭晓岩

　　　　　　张彦逎　管清宝　杨国胜　陈　易　吴雪芳

　　　　　　郑　锋　朱甫泉

主要审查人: 陈汉民　万　力　耿望阳　孙鸢飞　熊泽祝

　　　　　　朱立彤　焦建欣　夏　林　马　健　洪友白

　　　　　　杨柱勇

目　　次

1　总　　则 ……………………………………………… （1）

2　术　　语 ……………………………………………… （2）

3　工程架构 ……………………………………………… （4）

　　3.1　一般规定 ………………………………………… （4）

　　3.2　设计等级 ………………………………………… （4）

　　3.3　架构规划 ………………………………………… （5）

　　3.4　系统配置 ………………………………………… （6）

4　设计要素 ……………………………………………… （8）

　　4.1　一般规定 ………………………………………… （8）

　　4.2　信息化应用系统 ………………………………… （8）

　　4.3　智能化集成系统 ………………………………… （9）

　　4.4　信息设施系统 …………………………………… （10）

　　4.5　建筑设备管理系统 ……………………………… （16）

　　4.6　公共安全系统 …………………………………… （17）

　　4.7　机房工程 ………………………………………… （19）

5　住宅建筑 ……………………………………………… （23）

6　办公建筑 ……………………………………………… （26）

　　6.1　一般规定 ………………………………………… （26）

　　6.2　通用办公建筑 …………………………………… （26）

　　6.3　行政办公建筑 …………………………………… （29）

7　旅馆建筑 ……………………………………………… （32）

8　文化建筑 ……………………………………………… （35）

　　8.1　一般规定 ………………………………………… （35）

· 1 ·

8.2 图书馆 ……………………………………（35）

8.3 档案馆 ……………………………………（37）

8.4 文化馆 ……………………………………（40）

9 博物馆建筑 ……………………………………（43）

10 观演建筑 ………………………………………（46）

10.1 一般规定 …………………………………（46）

10.2 剧场 ………………………………………（46）

10.3 电影院 ……………………………………（49）

10.4 广播电视业务建筑 ………………………（51）

11 会展建筑 ………………………………………（55）

12 教育建筑 ………………………………………（59）

12.1 一般规定 …………………………………（59）

12.2 高等学校 …………………………………（59）

12.3 高级中学 …………………………………（62）

12.4 初级中学和小学 …………………………（64）

13 金融建筑 ………………………………………（67）

14 交通建筑 ………………………………………（70）

14.1 一般规定 …………………………………（70）

14.2 民用机场航站楼 …………………………（70）

14.3 铁路客运站 ………………………………（73）

14.4 城市轨道交通站 …………………………（77）

14.5 汽车客运站 ………………………………（80）

15 医疗建筑 ………………………………………（83）

15.1 一般规定 …………………………………（83）

15.2 综合医院 …………………………………（83）

15.3 疗养院 ……………………………………（86）

16 体育建筑 ………………………………………（89）

17 商店建筑 ………………………………………（93）

18 通用工业建筑 …………………………………（96）

· 2 ·

本标准用词说明 ························· （99）

引用标准名录 ························· （100）

附：条文说明 ························· （103）

Contents

1　General provisions ·· (1)

2　Terms ·· (2)

3　Engineering architecture ··· (4)

　3.1　General requirements ·· (4)

　3.2　Standards established ··· (4)

　3.3　Architecture planning ·· (5)

　3.4　System configuration ·· (6)

4　Design factors ·· (8)

　4.1　General requirements ·· (8)

　4.2　Information application system ······························ (8)

　4.3　Intelligent integration system ······························· (9)

　4.4　Information facility system ·································· (10)

　4.5　Building management system ································ (16)

　4.6　Public security system ······································ (17)

　4.7　Engineering of electronic equipment plant ················· (19)

5　House ··· (23)

6　Office building ·· (26)

　6.1　General requirements ·· (26)

　6.2　Business office building ······································ (26)

　6.3　Administrative office building ································ (29)

7　Hotel building ·· (32)

8　Cultural building ·· (35)

　8.1　General requirements ·· (35)

8. 2　Library ……………………………………………………… (35)

8. 3　Archives ………………………………………………… (37)

8. 4　Cultural centers ……………………………………… (40)

9　Museum building …………………………………………… (43)

10　Theatrical building ……………………………………… (46)

10. 1　General requirements …………………………… (46)

10. 2　Theatre …………………………………………… (46)

10. 3　Cinema ……………………………………………… (49)

10. 4　Radio and television building ………………… (51)

11　Exhibition building ……………………………………… (55)

12　Educational building …………………………………… (59)

12. 1　General requirements …………………………… (59)

12. 2　Regular institutions of higher education ……… (59)

12. 3　High school ……………………………………… (62)

12. 4　Junior high and elementary school …………… (64)

13　Financial architecture ………………………………… (67)

14　Transportation building ………………………………… (70)

14. 1　General requirements …………………………… (70)

14. 2　Airport terminal ………………………………… (70)

14. 3　Railway passenger station ……………………… (73)

14. 4　Urban rail transit station ……………………… (77)

14. 5　Passenger transport station …………………… (80)

15　Medical building ………………………………………… (83)

15. 1　General requirements …………………………… (83)

15. 2　Hospital building ………………………………… (83)

15. 3　Sanatorium ………………………………………… (86)

16　Sports architecture ……………………………………… (89)

17　Store building …………………………………………… (93)

18　General industrial building …………………………… (96)

Explanation of wording in this standard ··················· (99)

List of quoted standards ································· (100)

Addition: Explanation of provisions ····················· (103)

1 总　　则

1.0.1 为规范智能建筑工程设计,提高智能建筑工程设计质量,制定本标准。

1.0.2 本标准适用于新建、扩建和改建的住宅、办公、旅馆、文化、博物馆、观演、会展、教育、金融、交通、医疗、体育、商店等民用建筑及通用工业建筑的智能化系统工程设计,以及多功能组合的综合体建筑智能化系统工程设计。

1.0.3 智能建筑工程设计应以建设绿色建筑为目标,做到功能实用、技术适时、安全高效、运营规范和经济合理。

1.0.4 智能建筑工程设计应增强建筑物的科技功能和提升智能化系统的技术功效,具有适用性、开放性、可维护性和可扩展性。

1.0.5 智能建筑工程设计除应符合本标准外,尚应符合国家现行有关标准的规定。

2 术　语

2.0.1　智能建筑　intelligent building

　　以建筑物为平台,基于对各类智能化信息的综合应用,集架构、系统、应用、管理及优化组合为一体,具有感知、传输、记忆、推理、判断和决策的综合智慧能力,形成以人、建筑、环境互为协调的整合体,为人们提供安全、高效、便利及可持续发展功能环境的建筑。

2.0.2　工程架构　engineering architecture

　　以建筑物的应用需求为依据,通过对智能化系统工程的设施、业务及管理等应用功能作层次化结构规划,从而构成由若干智能化设施组合而成的架构形式。

2.0.3　信息化应用系统　information application system

　　以信息设施系统和建筑设备管理系统等智能化系统为基础,为满足建筑物的各类专业化业务、规范化运营及管理的需要,由多种类信息设施、操作程序和相关应用设备等组合而成的系统。

2.0.4　智能化集成系统　intelligent integration system

　　为实现建筑物的运营及管理目标,基于统一的信息平台,以多种类智能化信息集成方式,形成的具有信息汇聚、资源共享、协同运行、优化管理等综合应用功能的系统。

2.0.5　信息设施系统　information facility system

　　为满足建筑物的应用与管理对信息通信的需求,将各类具有接收、交换、传输、处理、存储和显示等功能的信息系统整合,形成建筑物公共通信服务综合基础条件的系统。

2.0.6　建筑设备管理系统　building management system

　　对建筑设备监控系统和公共安全系统等实施综合管理的

系统。

2.0.7 公共安全系统 public security system

为维护公共安全,运用现代科学技术,具有以应对危害社会安全的各类突发事件而构建的综合技术防范或安全保障体系综合功能的系统。

2.0.8 应急响应系统 emergency response system

为应对各类突发公共安全事件,提高应急响应速度和决策指挥能力,有效预防、控制和消除突发公共安全事件的危害,具有应急技术体系和响应处置功能的应急响应保障机制或履行协调指挥职能的系统。

2.0.9 机房工程 engineering of electronic equipment plant

为提供机房内各智能化系统设备及装置的安置和运行条件,以确保各智能化系统安全、可靠和高效地运行与便于维护的建筑功能环境而实施的综合工程。

3 工程架构

3.1 一般规定

3.1.1 智能化系统工程架构的设计应包括设计等级、架构规划、系统配置等。

3.1.2 智能化系统工程的设计等级应根据建筑的建设目标、功能类别、地域状况、运营及管理要求、投资规模等综合因素确立。

3.1.3 智能化系统工程的架构规划应根据建筑的功能需求、基础条件和应用方式等作层次化结构的搭建设计,并构成由若干智能化设施组合的架构形式。

3.1.4 智能化系统工程的系统配置应根据智能化系统工程的设计等级和架构规划,选择配置相关的智能化系统。

3.2 设计等级

3.2.1 智能化系统工程设计等级的确立应符合下列规定:

    1 应实现建筑的建设目标;

    2 应适应工程建设的基础状况;

    3 应符合建筑物运营及管理的信息化功能;

    4 应为建筑智能化系统的运行维护提供服务条件和支撑保障;

    5 应保证工程建设投资的有效性和合理性。

3.2.2 智能化系统工程设计等级的划分应符合下列规定:

    1 应与建筑自身的规模或设计等级相对应;

    2 应以增强智能化综合技术功效作为设计标准等级提升依据;

    3 应采用适时和可行的智能化技术;

·4·

4 宜为智能化系统技术扩展及满足应用功能提升创造条件。

3.2.3 智能化系统工程设计等级的系统配置应符合下列规定：

1 应以智能化系统工程的设计等级为依据，选择配置相应的智能化系统；

2 符合建筑基本功能的智能化系统配置应作为应配置项目；

3 以应配置项目为基础，为实现建筑增强功能的智能化系统配置应作为宜配置项目；

4 以应配置项目和宜配置项目的组合为基础，为完善建筑保障功能的智能化系统配置应作为可配置项目。

3.3 架 构 规 划

3.3.1 智能化系统工程的架构规划应符合下列规定：

1 应满足建筑物的信息化应用需求；

2 应支持各智能化系统的信息关联和功能汇聚；

3 应顺应智能化系统工程技术的可持续发展；

4 应适应智能化系统综合技术功效的不断完善；

5 综合体建筑的智能化系统工程应适应多功能类别组合建筑物态的形式，并应满足综合体建筑整体实施业务运营及管理模式的信息化应用需求。

3.3.2 智能化系统工程的设施架构搭建应符合下列规定：

1 应建设建筑信息化应用的基础设施层；

2 应建立具有满足运营和管理应用等综合支撑功能的信息服务设施层；

3 应形成展现信息应用和协同效应的信息化应用设施层。

3.3.3 智能化系统工程的架构规划分项应符合下列规定：

1 架构规划分项应按工程架构整体的层次化结构形式，分别以基础设施、信息服务设施及信息化应用设施展开；

2 基础设施应为公共环境设施和机房设施，其分项宜包括信息通信基础设施、建筑设备管理设施、公共安全设施、机房环境设施和机房管理设施等；

3 信息服务设施应为应用信息服务设施的信息应用支撑设施部分，其分项宜包括语音应用支撑设施、数据应用支撑设施、多媒体应用支撑设施等；

4 信息化应用设施应为应用信息服务设施的应用设施部分，其分项宜包括公共应用设施、管理应用设施、业务应用设施、智能信息集成设施等。

3.4 系 统 配 置

3.4.1 智能化系统工程的系统配置应符合下列规定：

1 应以设计等级为依据；

2 应与架构规划相对应；

3 应保障智能化系统综合技术功效；

4 宜适应按专业化分项实施的方式；

5 应按建筑基本条件和功能需求配置基础设施层的智能化系统；

6 应以基础设施层的智能化系统为支撑条件，按建筑功能类别配置信息服务设施层和信息化应用设施层的智能化系统。

3.4.2 智能化系统工程的系统配置分项应符合下列规定：

1 系统配置分项应分别以信息化应用系统、智能化集成系统、信息设施系统、建筑设备管理系统、公共安全系统、机房工程等设计要素展开；

2 应与基础设施层相对应，且基础设施的智能化系统分项宜包括信息接入系统、布线系统、移动通信室内信号覆盖系统、卫星通信系统、建筑设备监控系统、建筑能效监管系统、火灾自动报警系统、入侵报警系统、视频安防监控系统、出入口控制系统、电子巡查系统、访客对讲系统、停车库(场)管理系统、安全防范综合管理(平台)系统、应急响应系统及相配套的智能化系统机房工程；

3 应与信息服务设施层相对应，且信息服务设施的智能化系统分项宜包括用户电话交换系统、无线对讲系统、信息网络系统、有线电视系统、卫星电视接收系统、公共广播系统、会议系统、信息导引及发布系统、时钟系统等；

4 应与信息化应用设施层相对应，且信息化应用设施的智能化系统分项宜包括公共服务系统、智能卡系统、物业管理系统、信息设施运行管理系统、信息安全管理系统、通用业务系统、专业业务系统、智能化信息集成（平台）系统、集成信息应用系统。

3.4.3 综合体建筑智能化工程的系统配置应符合下列规定：

1 应以综合体建筑的业态形式、设计等级和架构规划为依据；

2 应按综合体建筑整体功能需求配置基础设施的智能化系统；

3 应以基础设施的智能化系统为支撑条件，配置满足不同功能类别单体或局部建筑的信息服务设施和信息化应用设施的智能化系统；

4 应以各单体或局部建筑的基础设施和信息服务设施整合为条件，配置满足综合体建筑实施整体运营和全局性管理模式需求的信息化应用设施的智能化系统。

4 设 计 要 素

4.1 一 般 规 定

4.1.1 智能化系统工程的设计要素应按智能化系统工程的设计等级、架构规划及系统配置等工程架构确定。

4.1.2 智能化系统工程的设计要素宜包括信息化应用系统、智能化集成系统、信息设施系统、建筑设备管理系统、公共安全系统、机房工程等。

4.1.3 智能化系统工程的设计要素应符合国家现行标准《火灾自动报警系统设计规范》GB 50116、《安全防范工程技术规范》GB 50348 和《民用建筑电气设计规范》JGJ 16 等的有关规定。

4.2 信息化应用系统

4.2.1 信息化应用系统功能应符合下列规定：

1 应满足建筑物运行和管理的信息化需要；

2 应提供建筑业务运营的支撑和保障。

4.2.2 信息化应用系统宜包括公共服务、智能卡应用、物业管理、信息设施运行管理、信息安全管理、通用业务和专业业务等信息化应用系统。

4.2.3 公共服务系统应具有访客接待管理和公共服务信息发布等功能，并宜具有将各类公共服务事务纳入规范运行程序的管理功能。

4.2.4 智能卡应用系统应具有身份识别等功能，并宜具有消费、计费、票务管理、资料借阅、物品寄存、会议签到等管理功能，且应具有适应不同安全等级的应用模式。

4.2.5 物业管理系统应具有对建筑的物业经营、运行维护进行管

·8·

理的功能。

4.2.6 信息设施运行管理系统应具有对建筑物信息设施的运行状态、资源配置、技术性能等进行监测、分析、处理和维护的功能。

4.2.7 信息安全管理系统应符合国家现行有关信息安全等级保护标准的规定。

4.2.8 通用业务系统应满足建筑基本业务运行的需求。

4.2.9 专业业务系统应以建筑通用业务系统为基础，满足专业业务运行的需求。

4.3 智能化集成系统

4.3.1 智能化集成系统的功能应符合下列规定：

  1 应以实现绿色建筑为目标，应满足建筑的业务功能、物业运营及管理模式的应用需求；

  2 应采用智能化信息资源共享和协同运行的架构形式；

  3 应具有实用、规范和高效的监管功能；

  4 宜适应信息化综合应用功能的延伸及增强。

4.3.2 智能化集成系统构建应符合下列规定：

  1 系统应包括智能化信息集成（平台）系统与集成信息应用系统；

  2 智能化信息集成（平台）系统宜包括操作系统、数据库、集成系统平台应用程序、各纳入集成管理的智能化设施系统与集成互为关联的各类信息通信接口等；

  3 集成信息应用系统宜由通用业务基础功能模块和专业业务运营功能模块等组成；

  4 宜具有虚拟化、分布式应用、统一安全管理等整体平台的支撑能力；

  5 宜顺应物联网、云计算、大数据、智慧城市等信息交互多元化和新应用的发展。

4.3.3 智能化集成系统通信互联应符合下列规定：

· 9 ·

1 应具有标准化通信方式和信息交互的支持能力；

2 应符合国际通用的接口、协议及国家现行有关标准的规定。

4.3.4 智能化集成系统配置应符合下列规定：

1 应适应标准化信息集成平台的技术发展方向；

2 应形成对智能化相关信息采集、数据通信、分析处理等支持能力；

3 宜满足对智能化实时信息及历史数据分析、可视化展现的要求；

4 宜满足远程及移动应用的扩展需要；

5 应符合实施规范化的管理方式和专业化的业务运行程序；

6 应具有安全性、可用性、可维护性和可扩展性。

4.4 信息设施系统

4.4.1 信息设施系统功能应符合下列规定：

1 应具有对建筑内外相关的语音、数据、图像和多媒体等形式的信息予以接受、交换、传输、处理、存储、检索和显示等功能；

2 宜融合信息化所需的各类信息设施，并为建筑的使用者及管理者提供信息化应用的基础条件。

4.4.2 信息设施系统宜包括信息接入系统、布线系统、移动通信室内信号覆盖系统、卫星通信系统、用户电话交换系统、无线对讲系统、信息网络系统、有线电视及卫星电视接收系统、公共广播系统、会议系统、信息导引及发布系统、时钟系统等信息设施系统。

4.4.3 信息接入系统应符合下列规定：

1 应满足建筑物内各类用户对信息通信的需求，并应将各类公共信息网和专用信息网引入建筑物内；

2 应支持建筑物内各类用户所需的信息通信业务；

3 宜建立以该建筑为基础的物理单元载体，并应具有对接智慧城市的技术条件；

4 信息接入机房应统筹规划配置,并应具有多种类信息业务经营者平等接入的条件;

5 系统设计应符合现行行业标准《有线接入网设备安装工程设计规范》YD/T 5139 等的有关规定。

4.4.4 布线系统应符合下列规定:

1 应满足建筑物内语音、数据、图像和多媒体等信息传输的需求;

2 应根据建筑物的业务性质、使用功能、管理维护、环境安全条件和使用需求等,进行系统布局、设备配置和缆线设计;

3 应遵循集约化建设的原则,并应统一规划、兼顾差异、路由便捷、维护方便;

4 应适应智能化系统的数字化技术发展和网络化融合趋向,并应成为建筑内整合各智能化系统信息传递的通道;

5 应根据缆线敷设方式和安全保密的要求,选择满足相应安全等级的信息缆线;

6 应根据缆线敷设方式和防火的要求,选择相应阻燃及耐火等级的缆线;

7 应配置相应的信息安全管理保障技术措施;

8 应具有灵活性、适应性、可扩展性和可管理性;

9 系统设计应符合现行国家标准《综合布线系统工程设计规范》GB 50311 的有关规定。

4.4.5 移动通信室内信号覆盖系统应符合下列规定:

1 应确保建筑物内部与外界的通信接续;

2 应适应移动通信业务的综合性发展;

3 对于室内需屏蔽移动通信信号的局部区域,应配置室内区域屏蔽系统;

4 系统设计应符合现行国家标准《电磁环境控制限值》GB 8702 的有关规定。

4.4.6 卫星通信系统应符合下列规定:

· 11 ·

1 应按建筑的业务需求进行配置；

2 应满足语音、数据、图像及多媒体等信息的传输要求；

3 卫星通信系统天线、室外单元设备安装空间和天线基座基础、室外馈线引入的管线及卫星通信机房等应设置在满足卫星通信要求的位置。

4.4.7 用户电话交换系统应符合下列规定：

1 应适应建筑物的业务性质、使用功能、安全条件，并应满足建筑内语音、传真、数据等通信需求；

2 系统的容量、出入中继线数量及中继方式等应按使用需求和话务量确定，并应留有富裕量；

3 应具有拓展电话交换系统与建筑内业务相关的其他增值应用的功能；

4 系统设计应符合现行国家标准《用户电话交换系统工程设计规范》GB/T 50622 的有关规定。

4.4.8 无线对讲系统应符合下列规定：

1 应满足建筑内管理人员互相通信联络的需求；

2 应根据建筑的环境状况，设置天线位置、选择天线形式、确定天线输出功率；

3 应利用基站信号，配置室内天馈线和系统无源器件；

4 信号覆盖应均匀分布；

5 应具有远程控制和集中管理功能，并应具有对系统语音和数据的管理能力；

6 语音呼叫应支持个呼、组呼、全呼和紧急呼叫等功能；

7 宜具有支持文本信息收发、GPS 定位、遥测、对讲机检查、远程监听、呼叫提示、激活等功能；

8 应具有先进性、开放性、可扩展性和可管理性。

4.4.9 信息网络系统应符合下列规定：

1 应根据建筑的运营模式、业务性质、应用功能、环境安全条件及使用需求，进行系统组网的架构规划；

2 应建立各类用户完整的公用和专用的信息通信链路，支撑建筑内多种类智能化信息的端到端传输，并应成为建筑内各类信息通信完全传递的通道；

3 应保证建筑内信息传输与交换的高速、稳定和安全；

4 应适应数字化技术发展和网络化传输趋向；对智能化系统的信息传输，应按信息类别的功能性区分、信息承载的负载量分析、应用架构形式优化等要求进行处理，并应满足建筑智能化信息网络实现的统一性要求；

5 网络拓扑架构应满足建筑使用功能的构成状况、业务需求及信息传输的要求；

6 应根据信息接入方式和网络子网划分等配置路由设备，并应根据用户工作业务特性、运行信息流量、服务质量要求和网络拓扑架构形式等，配置服务器、网络交换设备、信息通信链路、信息端口及信息网络系统等；

7 应配置相应的信息安全保障设备和网络管理系统，建筑物内信息网络系统与建筑物外部的相关信息网互联时，应设置有效抵御干扰和入侵的防火墙等安全措施；

8 宜采用专业化、模块化、结构化的系统架构形式；

9 应具有灵活性、可扩展性和可管理性。

4.4.10 有线电视及卫星电视接收系统应符合下列规定：

1 应向收视用户提供多种类电视节目源；

2 应根据建筑使用功能的需要，配置卫星广播电视接收及传输系统；

3 卫星广播电视系统接收天线、室外单元设备安装空间和天线基座基础、室外馈线引入的管线等应设置在满足接收要求的部位；

4 宜拓展其他相应增值应用功能；

5 系统设计应符合现行国家标准《有线电视系统工程技术规范》GB 50200 的有关规定。

· 13 ·

4.4.11 公共广播系统应符合下列规定：

1 应包括业务广播、背景广播和紧急广播；

2 业务广播应根据工作业务及建筑物业管理的需要，按业务区域设置音源信号，分区控制呼叫及设定播放程序。业务广播宜播发的信息包括通知、新闻、信息、语音文件、寻呼、报时等；

3 背景广播应向建筑内各功能区播送渲染环境气氛的音源信号。背景广播宜播发的信息包括背景音乐和背景音响等；

4 紧急广播应满足应急管理的要求，紧急广播应播发的信息为依据相应安全区域划分规定的专用应急广播信令。紧急广播应优先于业务广播、背景广播；

5 应适应数字化处理技术、网络化播控方式的应用发展；

6 宜配置标准时间校正功能；

7 声场效果应满足使用要求及声学指标的要求；

8 宜拓展公共广播系统相应智能化应用功能；

9 系统设计应符合现行国家标准《公共广播系统工程技术规范》GB 50526 的有关规定。

4.4.12 会议系统应符合下列规定：

1 应按使用和管理等需求对会议场所进行分类，并分别按会议（报告）厅、多功能会议室和普通会议室等类别组合配置相应的功能。会议系统的功能宜包括音频扩声、图像信息显示、多媒体信号处理、会议讨论、会议信息录播、会议设施集中控制、会议信息发布等；

2 会议（报告）厅宜根据使用功能，配置舞台机械及场景控制及其他相关配套功能等；

3 具有远程视频信息交互功能需求的会议场所，应配置视频会议系统终端（含内置多点控制单元）；

4 当系统具有集中控制播放信息和集成运行交互功能要求时，宜采取会议设备集约化控制方式，对设备运行状况进行信息化交互式管理；

5 应适应多媒体技术的发展,并应采用能满足视频图像清晰度要求的投射及显示技术和满足音频声场效果要求的传声及播放技术;

6 宜采用网络化互联、多媒体场效互动及设备综合控制等信息集成化管理工作模式,并宜采用数字化系统技术和设备;

7 宜拓展会议系统相应智能化应用功能;

8 系统设计应符合现行国家标准《电子会议系统工程设计规范》GB 50799、《厅堂扩声系统设计规范》GB 50371、《视频显示系统工程技术规范》GB 50464 和《会议电视会场系统工程设计规范》GB 50635 的有关规定。

4.4.13 信息导引及发布系统应符合下列规定:

1 应具有公共业务信息的接入、采集、分类和汇总的数据资源库,并在建筑公共区域向公众提供信息告示、标识导引及信息查询等多媒体信息发布功能;

2 宜由信息播控中心、传输网络、信息发布显示屏或信息标识牌、信息导引设施或查询终端等组成,并应根据应用需要进行设备的配置及组合;

3 应根据建筑物的管理需要,布置信息发布显示屏或信息导引标识屏、信息查询终端等,并应根据公共区域空间环境条件,选择信息显示屏和信息查询终端的技术规格、几何形态及安装方式等;

4 播控中心宜设置专用的服务器和控制器,并宜配置信号采集和制作设备及相配套的应用软件;应支持多通道显示、多画面显示、多列表播放和支持多种格式的图像、视频、文件显示,并应支持同时控制多台显示端设备。

4.4.14 时钟系统应符合下列功能:

1 应按建筑使用功能需求配置时钟系统;

2 应具有高精度标准校时功能,并应具备与当地标准时钟同步校准的功能;

3 用于统一建筑公共环境时间的时钟系统,宜采用母钟、子钟的组网方式,且系统母钟应具有多形式系统对时的接口选择;

4 应具有故障告警等管理功能。

4.5 建筑设备管理系统

4.5.1 建筑设备管理系统功能应符合下列规定:

1 应具有建筑设备运行监控信息互为关联和共享的功能;

2 宜具有建筑设备能耗监测的功能;

3 应实现对节约资源、优化环境质量管理的功能;

4 宜与公共安全系统等其他关联构建建筑设备综合管理模式。

4.5.2 建筑设备管理系统宜包括建筑设备监控系统、建筑能效监管系统,以及需纳入管理的其他业务设施系统等。

4.5.3 建筑设备监控系统应符合下列规定:

1 监控的设备范围宜包括冷热源、供暖通风和空气调节、给水排水、供配电、照明、电梯等,并宜包括以自成控制体系方式纳入管理的专项设备监控系统等;

2 采集的信息宜包括温度、湿度、流量、压力、压差、液位、照度、气体浓度、电量、冷热量等建筑设备运行基础状态信息;

3 监控模式应与建筑设备的运行工艺相适应,并应满足对实时状况监控、管理方式及管理策略等进行优化的要求;

4 应适应相关的管理需求与公共安全系统信息关联;

5 宜具有向建筑内相关集成系统提供建筑设备运行、维护管理状态等信息的条件。

4.5.4 建筑能效监管系统应符合下列规定:

1 能耗监测的范围宜包括冷热源、供暖通风和空气调节、给水排水、供配电、照明、电梯等建筑设备,且计量数据应准确,并应符合国家现行有关标准的规定;

2 能耗计量的分项及类别宜包括电量、水量、燃气量、集中供热耗热量、集中供冷耗冷量等使用状态信息；

3 根据建筑物业管理的要求及基于对建筑设备运行能耗信息化监管的需求，应能对建筑的用能环节进行相应适度调控及供能配置适时调整；

4 应通过对纳入能效监管系统的分项计量及监测数据统计分析和处理，提升建筑设备协调运行和优化建筑综合性能。

4.5.5 建筑设备管理系统对支撑绿色建筑功效应符合下列规定：

1 基于建筑设备监控系统，对可再生能源实施有效利用和管理；

2 以建筑能效监管系统为基础，确保在建筑全生命期内对建筑设备运行具有辅助支撑的功能。

4.5.6 建筑设备管理系统应满足建筑物整体管理需求，系统宜纳入智能化集成系统。

4.5.7 系统设计应符合国家现行标准《建筑设备监控系统工程技术规范》JGJ/T 334 和《绿色建筑评价标准》GB/T 50378 的有关规定。

4.6 公共安全系统

4.6.1 公共安全系统应符合下列规定：

1 应有效地应对建筑内火灾、非法侵入、自然灾害、重大安全事故等危害人们生命和财产安全的各种突发事件，并应建立应急及长效的技术防范保障体系；

2 应以人为本、主动防范、应急响应、严实可靠。

4.6.2 公共安全系统宜包括火灾自动报警系统、安全技术防范系统和应急响应系统等。

4.6.3 火灾自动报警系统应符合下列规定：

1 应安全适用、运行可靠、维护便利；

2 应具有与建筑设备管理系统互联的信息通信接口；

3 宜与安全技术防范系统实现互联；

4 应作为应急响应系统的基础系统之一；

5 宜纳入智能化集成系统；

6 系统设计应符合现行国家标准《火灾自动报警系统设计规范》GB 50116 和《建筑设计防火规范》GB 50016 的有关规定。

4.6.4 安全技术防范系统应符合下列规定：

1 应根据防护对象的防护等级、安全防范管理等要求，以建筑物自身物理防护为基础，运用电子信息技术、信息网络技术和安全防范技术等进行构建；

2 宜包括安全防范综合管理(平台)和入侵报警、视频安防监控、出入口控制、电子巡查、访客对讲、停车库(场)管理系统等；

3 应适应数字化、网络化、平台化的发展，建立结构化架构及网络化体系；

4 应拓展和优化公共安全管理的应用功能；

5 应作为应急响应系统的基础系统之一；

6 宜纳入智能化集成系统；

7 系统设计应符合现行国家标准《安全防范工程技术规范》GB 50348、《入侵报警系统工程设计规范》GB 50394、《视频安防监控系统工程设计规范》GB 50395 和《出入口控制系统工程设计规范》GB 50396 的有关规定。

4.6.5 应急响应系统应符合下列规定：

1 应以火灾自动报警系统、安全技术防范系统为基础。

2 应具有下列功能：

1)对各类危及公共安全的事件进行就地实时报警；

2)采取多种通信方式对自然灾害、重大安全事故、公共卫生事件和社会安全事件实现就地报警和异地报警；

3)管辖范围内的应急指挥调度；

4)紧急疏散与逃生紧急呼叫和导引；

5)事故现场应急处置等。

3 宜具有下列功能：

1）接收上级应急指挥系统各类指令信息；

2）采集事故现场信息；

3）多媒体信息显示；

4）建立各类安全事件应急处理预案。

4　应配置下列设施：

1）有线/无线通信、指挥和调度系统；

2）紧急报警系统；

3）火灾自动报警系统与安全技术防范系统的联动设施；

4）火灾自动报警系统与建筑设备管理系统的联动设施；

5）紧急广播系统与信息发布与疏散导引系统的联动设施。

5　宜配置下列设施：

1）基于建筑信息模型（BIM）的分析决策支持系统；

2）视频会议系统；

3）信息发布系统等。

6　应急响应中心宜配置总控室、决策会议室、操作室、维护室和设备间等工作用房。

7　应纳入建筑物所在区域的应急管理体系。

4.6.6　总建筑面积大于 20000m² 的公共建筑或建筑高度超过100m 的建筑所设置的应急响应系统，必须配置与上一级应急响应系统信息互联的通信接口。

4.7　机房工程

4.7.1　智能化系统机房宜包括信息接入机房、有线电视前端机房、信息设施系统总配线机房、智能化总控室、信息网络机房、用户电话交换机房、消防控制室、安防监控中心、应急响应中心和智能化设备间（弱电间、电信间）等，并可根据工程具体情况独立配置或组合配置。

4.7.2　机房工程的建筑设计应符合下列规定：

1　信息接入机房宜设置在便于外部信息管线引入建筑物内

的位置；

2 信息设施系统总配线机房宜设于建筑的中心区域位置，并应与信息接入机房、智能化总控室、信息网络机房及用户电话交换机房等同步设计和建设；

3 智能化总控室、信息网络机房、用户电话交换机房等应按智能化设施的机房设计等级及设备的工艺要求进行设计；

4 当火灾自动报警系统、安全技术防范系统、建筑设备管理系统、公共广播系统等的中央控制设备集中设在智能化总控室内时，各系统应有独立工作区；

5 智能化设备间（弱电间、电信间）宜独立设置，且在满足信息传输要求情况下，设备间（弱电间、电信间）宜设置于工作区域相对中部的位置；对于以建筑物楼层为区域划分的智能化设备间（弱电间、电信间），上下位置宜垂直对齐；

6 机房面积应满足设备机柜（架）的布局要求，并应预留发展空间；

7 信息设施系统总配线机房、智能化总控室、信息网络机房、用户电话交换系统机房等不应与变配电室及电梯机房贴邻布置；

8 机房不应设在水泵房、厕所和浴室等潮湿场所的贴邻位置；

9 设备机房不宜贴邻建筑物的外墙；

10 与机房无关的管线不应从机房内穿越；

11 机房各功能区的净空高度及地面承重力应满足设备的安装要求和国家现行有关标准的规定；

12 机房应采取防水、降噪、隔音、抗震等措施。

4.7.3 机房工程的结构设计应符合下列规定：

1 机房主体结构宜采用大空间及大跨度柱网结构体系；

2 机房主体结构应具有防火、避免温度变形和抗不均匀沉降的性能，机房不应穿过变形缝和伸缩缝；

3 对于安置主机和存放数据存储设备的机房，主体结构抗震

等级宜比该建筑物整体抗震等级提高一级;

4 对于改建或扩建的机房,应在对原建筑物进行结构检测和抗震鉴定后进行抗震设计。

4.7.4 机房工程的通风和空气调节系统设计应符合下列规定:

1 机房内的温度、湿度等应满足设备的使用要求;

2 应符合国家现行有关机房设计的等级标准;

3 当机房设置专用空气调节系统时,应设置具有可自动调节方式的控制装置,并应预留室外机组的安装位置;

4 宜为纳入机房综合管理系统预留条件。

4.7.5 机房工程的供配电系统设计应符合下列规定:

1 应满足机房设计等级及设备用电负荷等级的要求;

2 电源质量应符合国家现行有关标准的规定和所配置设备的要求;

3 设备的电源输入端应设防雷击电磁脉冲(LEMP)的保护装置;

4 宜为纳入机房综合管理系统预留条件。

4.7.6 机房工程紧急广播系统备用电源的连续供电时间,必须与消防疏散指示标志照明备用电源的连续供电时间一致。

4.7.7 机房工程的照明系统设计应符合下列规定:

1 应满足各工作区照度标准值的要求;

2 照明灯具应采用无眩光荧光灯具及节能灯具;

3 宜具有自动调节方式的控制装置;

4 宜为纳入机房综合管理系统预留条件。

4.7.8 机房工程接地设计应符合下列规定:

1 当机房采用建筑物共用接地装置时,接地电阻值应按接入设备中要求的最小值确定;

2 当机房采用独立接地时,接地电阻值应符合国家现行有关标准的规定和所配置设备的要求;

3 机房内应设专用局部等电位联结装置。

· 21 ·

4.7.9 机房工程的防静电设计应符合下列规定：

1 机房的主机房和辅助工作区的地板或地面应设置具有静电泄放的接地装置；

2 电子信息系统机房内所有设备的金属外壳、各类金属管（槽）和构件等应进行等电位联结并接地。

4.7.10 机房工程的安全系统设计应符合下列规定：

1 应设置与机房安全管理相配套的火灾自动报警和安全技术防范设施；

2 应满足机房设计等级要求，并应符合国家现行有关标准的规定；

3 宜为纳入机房综合管理系统预留条件。

4.7.11 信息网络机房、应急响应中心等机房宜根据建筑功能、机房规模、设备状况及机房的建设要求等，配置机房综合管理系统，并宜具备机房基础设施运行监控、环境设施综合管理、信息设施服务管理等功能。机房综合管理系统应符合下列规定：

1 应满足机房设计等级的要求，对机房内能源、安全、环境等基础设施进行监控；

2 应满足机房运营及管理的要求，对机房内各类设施的能耗及环境状态信息予以采集、分析等监管；

3 应满足建筑业务专业功能的需求，并应对机房信息设施系统的运行进行监管等。

4.7.12 机房工程设计应符合现行国家标准《电子信息系统机房设计规范》GB 50174、《建筑电子信息系统防雷术规范》GB 50343、《电磁环境控制限值》GB 8702 的有关规定。

5 住 宅 建 筑

5.0.1 住宅建筑智能化系统工程应符合下列规定：

1 应适应生态、环保、健康的绿色居住需求；

2 应营造以人为本，安全、便利的家居环境；

3 应满足住宅建筑物业的规范化运营管理要求。

5.0.2 住宅建筑智能化系统应按表 5.0.2 的规定配置，并应符合现行行业标准《住宅建筑电气设计规范》JGJ 242 的有关规定。

表 5.0.2 住宅建筑智能化系统配置表

智能化系统		非超高层住宅建筑	超高层住宅建筑
信息化应用系统	公共服务系统	⊙	⊙
	智能卡应用系统	⊙	⊙
	物业管理系统	⊙	●
智能化集成系统	智能化信息集成（平台）系统	⊙	⊙
	集成信息应用系统	⊙	⊙
信息设施系统	信息接入系统	●	●
	布线系统	●	●
	移动通信室内信号覆盖系统	●	●
	无线对讲系统	⊙	⊙
	信息网络系统	●	●
	有线电视系统	●	●
	公共广播系统	⊙	⊙
	信息导引及发布系统	⊙	⊙

· 23 ·

续表 5.0.2

智能化系统			非超高层 住宅建筑	超高层 住宅建筑
建筑设备 管理系统	建筑设备监控系统		⊙	⊙
	建筑能效监管系统		○	○
公共安全 系统	火灾自动报警系统		按国家现行有关标准进 行配置	
	安全技术 防范系统	入侵报警系统		
		视频安防监控系统		
		出入口控制系统		
		电子巡查系统		
		访客对讲系统		
	停车库(场)管理系统		⊙	⊙
机房 工程	信息接入机房		●	●
	有线电视前端机房		●	●
	信息设施系统总配线机房		●	●
	智能化总控室		●	●
	消防控制室		⊙	●
	安防监控中心		●	●
	智能化设备间(弱电间)		●	●

注：1 超高层住宅建筑：建筑高度为 100m 或 35 层及以上的住宅建筑。

2 ●—应配置；⊙—宜配置；○—可配置。

5.0.3 住宅建筑信息化应用系统的配置应满足住宅建筑物业管理的信息化应用需求。

5.0.4 住宅建筑智能化集成系统宜为住宅物业提供完善的服务功能。

5.0.5 住宅建筑信息接入系统应采用光纤到户的方式，每套住户应配置家居配线箱。

5.0.6 当住宅小区或超高层住宅建筑设有物业管理系统时，宜配

· 24 ·

置无线对讲系统。

5.0.7 超高层住宅建筑应设置消防应急广播,消防应急广播可与公共广播系统合用,但应满足消防应急广播的要求。

5.0.8 当住宅建筑设有物业管理系统时,宜配置建筑设备管理系统。

5.0.9 超高层住宅建筑的消防控制室可与物业管理室合用,但应有独立的火灾自动报警系统工作区域。

5.0.10 当住宅建筑设有停车库(场)时,宜设置停车库(场)管理系统。

6 办 公 建 筑

6.1 一 般 规 定

6.1.1 办公建筑智能化系统工程应符合下列规定：

1 应满足办公业务信息化的应用需求；

2 应具有高效办公环境的基础保障；

3 应满足办公建筑物业规范化运营管理的需要。

6.2 通用办公建筑

6.2.1 通用办公建筑智能化系统应按表6.2.1的规定配置。

表6.2.1 通用办公建筑智能化系统配置表

智能化系统		普通办公建筑	商务办公建筑
信息化应用系统	公共服务系统	●	●
	智能卡应用系统	●	●
	物业管理系统	●	●
	信息设施运行管理系统	⊙	●
	信息安全管理系统	⊙	●
	通用业务系统　基本业务办公系统	按国家现行有关标准进行配置	
	专业业务系统　专用办公系统		
智能化集成系统	智能化信息集成(平台)系统	⊙	●
	集成信息应用系统	⊙	●
信息设施系统	信息接入系统	●	●
	布线系统	●	●
	移动通信室内信号覆盖系统	●	●

续表 6.2.1

智能化系统			普通办公建筑	商务办公建筑
信息设施系统	用户电话交换系统		⊙	⊙
	无线对讲系统		⊙	⊙
	信息网络系统		●	●
	有线电视系统		●	●
	卫星电视接收系统		○	⊙
	公共广播系统		●	●
	会议系统		●	●
	信息导引及发布系统		●	●
	时钟系统		○	⊙
建筑设备管理系统	建筑设备监控系统		●	●
	建筑能效监管系统		⊙	⊙
公共安全系统	火灾自动报警系统		按国家现行有关标准进行配置	
	安全技术防范系统	入侵报警系统		
		视频安防监控系统		
		出入口控制系统		
		电子巡查系统		
		访客对讲系统		
	停车库(场)管理系统		⊙	●
	安全防范综合管理(平台)系统		⊙	●
	应急响应系统		○	⊙
机房工程	信息接入机房		●	●
	有线电视前端机房		●	●
	信息设施系统总配线机房		●	●
	智能化总控室		●	●

· 27 ·

续表 6.2.1

智能化系统		普通办公建筑	商务办公建筑
机房工程	信息网络机房	⊙	●
	用户电话交换机房	⊙	⊙
	消防控制室	●	●
	安防监控中心	●	●
	应急响应中心	○	⊙
	智能化设备间(弱电间)	●	●
	机房安全系统	按国家现行有关标准进行配置	
	机房综合管理系统	○	⊙

注:●—应配置;⊙—宜配置;○—可配置。

6.2.2 信息化应用系统的配置应满足通用办公建筑办公业务运行和物业管理的信息化应用需求。

6.2.3 信息接入系统宜将各类公共信息网引入至建筑物办公区域或办公单元内,并应适应多家运营商接入的需求。

6.2.4 移动通信室内信号覆盖系统应做到公共区域无盲区。

6.2.5 用户电话交换系统应满足通用办公建筑内部语音通信的需求。

6.2.6 信息网络系统,当用于建筑物业管理系统时,宜独立配置;当用于出租或出售办公单元时,宜满足承租者或入驻用户的使用需求。

6.2.7 有线电视系统应向建筑内用户提供本地区有线电视节目源,可根据需要配置卫星电视接收系统。

6.2.8 会议系统应适应通用办公建筑的需要,宜适应会议室或会议设备的租赁使用及管理,并宜按会议场所的功能需求组合配置相关设备。

6.2.9 信息导引及发布系统应根据建筑物业管理的需要,在公共区域提供信息告示、标识导引及信息查询等服务。

6.2.10 建筑设备管理系统应满足通用办公建筑使用及管理的需求。

6.3 行政办公建筑

6.3.1 行政办公建筑智能化系统应按表 6.3.1 的规定配置。

表 6.3.1 行政办公建筑智能化系统配置表

智能化系统		其他职级职能办公建筑	地市级职能办公建筑	省部级及以上职能办公建筑
信息化应用系统	公共服务系统	⊙	●	●
	智能卡应用系统	●	●	●
	物业管理系统	⊙	●	●
	信息设施运行管理系统	⊙	●	●
	信息安全管理系统	●	●	●
	通用业务系统　基本业务办公系统	按国家现行有关标准进行配置		
	专业业务系统　行政工作业务系统			
智能化集成系统	智能化信息集成(平台)系统	○	⊙	●
	集成信息应用系统	○	⊙	●
信息设施系统	信息接入系统	●	●	●
	布线系统	●	●	●
	移动通信室内信号覆盖系统	●	●	●
	用户电话交换系统	⊙	●	●
	无线对讲系统	⊙	●	●
	信息网络系统	●	●	●
	有线电视系统	●	●	●
	公共广播系统	●	●	●
	会议系统	●	●	●
	信息导引及发布系统	⊙	●	●

29

续表 6.3.1

智能化系统			其他职级职能办公建筑	地市级职能办公建筑	省部级及以上职能办公建筑
建筑设备管理系统	建筑设备监控系统		⊙	●	●
	建筑能效监管系统		⊙	●	●
公共安全系统	火灾自动报警系统		按国家现行有关标准进行配置		
	安全技术防范系统	入侵报警系统			
		视频安防监控系统			
		出入口控制系统			
		电子巡查系统			
		访客对讲系统			
		停车库(场)管理系统	⊙	●	●
	安全防范综合管理(平台)系统		⊙	●	●
	应急响应系统		⊙	●	●
机房工程	信息接入机房		●	●	●
	有线电视前端机房		●	●	●
	信息设施系统总配线机房		●	●	●
	智能化总控室		●	●	●
	信息网络机房		⊙	●	●
	用户电话交换机房		⊙	●	●
	消防控制室		●	●	●
	安防监控中心		●	●	●
	应急响应中心		⊙	●	●
	智能化设备间(弱电间)		●	●	●
	机房安全系统		按国家现行有关标准进行配置		
	机房综合管理系统		⊙	●	●

注:●—应配置;⊙—宜配置;○—可配置。

· 30 ·

6.3.2 信息化应用系统的配置应满足行政办公建筑办公业务运行和物业管理的信息化应用需求。

6.3.3 信息接入系统应根据办公业务的需要,将公共信息网及行政办公专用信息网引入行政办公建筑内。

6.3.4 行政办公建筑内应根据信息安全要求或其业务要求,建立区域移动通信信号覆盖或移动通信信号屏蔽系统。

6.3.5 用户电话交换系统应满足行政办公建筑内部的电话通信需求。

6.3.6 信息网络系统应满足行政办公业务信息传输安全、可靠、保密的要求,并应根据办公业务和办公人员的岗位职能需要,配置相应的信息端口。

6.3.7 有线电视系统应向会议、接待等功能区域提供本地区电视节目源。

6.3.8 会议系统应根据所确定的功能配置相关设备,并应满足安全保密要求。

6.3.9 建筑设备管理系统应满足行政办公建筑使用及管理的需求。

7 旅馆建筑

7.0.1 旅馆建筑智能化系统工程应符合下列规定：

  1 应满足旅馆业务经营的需求；

  2 应提升旅馆经营及服务的质量；

  3 应满足旅馆建筑物业规范化运营管理的需要。

7.0.2 旅馆建筑智能化系统应按表7.0.2的规定配置。

表7.0.2 旅馆建筑智能化系统配置表

智能化系统		其他服务等级旅馆	三星及四星级服务等级旅馆	五星级及以上服务等级旅馆
信息化应用系统	公共服务系统	⊙	●	●
	智能卡应用系统	●	●	●
	物业管理系统	⊙	●	●
	信息设施运行管理系统	○	⊙	●
	信息安全管理系统	⊙	●	●
	通用业务系统　基本旅馆经营管理系统	按国家现行有关标准进行配置		
	专业业务系统　星级酒店经营管理系统			
智能化集成系统	智能化信息集成(平台)系统	⊙	●	●
	集成信息应用系统	⊙	●	●
信息设施系统	信息接入系统	●	●	●
	布线系统	●	●	●
	移动通信室内信号覆盖系统	●	●	●
	用户电话交换系统	●	●	●
	无线对讲系统	⊙	●	●

· 32 ·

续表 7.0.2

智能化系统		其他服务等级旅馆	三星及四星级服务等级旅馆	五星级及以上服务等级旅馆
信息设施系统	信息网络系统	●	●	●
	有线电视系统	●	●	●
	卫星电视接收系统	○	⊙	●
	公共广播系统	●	●	●
	会议系统	○	⊙	●
	信息导引及发布系统	⊙	●	●
	时钟系统	○	⊙	●
建筑设备管理系统	建筑设备监控系统	⊙	●	●
	建筑能效监管系统	⊙	●	●
	客房集控系统	⊙	●	●
公共安全系统	火灾自动报警系统	按国家现行有关标准进行配置		
	安全技术防范系统 入侵报警系统			
	视频安防监控系统			
	出入口控制系统			
	电子巡查系统			
	停车库(场)管理系统	⊙	●	●
	安全防范综合管理(平台)系统	○	⊙	●
	应急响应系统	○	⊙	●
机房工程	信息接入机房	●	●	●
	有线电视前端机房	●	●	●
	信息设施系统总配线机房	●	●	●
	智能化总控室	●	●	●
	信息网络机房	⊙	●	●
	用户电话交换机房	●	●	●

· 33 ·

续表 7.0.2

智能化系统		其他服务等级旅馆	三星及四星级服务等级旅馆	五星级及以上服务等级旅馆
机房工程	消防控制室	●	●	●
	安防监控中心	●	●	●
	应急响应中心	○	⊙	●
	智能化设备间(弱电间)	●	●	●
	机房安全系统	按国家现行有关标准进行配置		
	机房综合管理系统	○	⊙	●

注：●—应配置；⊙—宜配置；○—可配置。

7.0.3 信息化应用系统的配置应满足旅馆建筑业务运行和物业管理的信息化应用需求。

7.0.4 客房内应配置互联网的信息端口,并宜提供无线接入。公共区域、会议室、餐饮和供宾客休闲的场所等应提供无线接入。

7.0.5 用户电话交换系统应具有旅馆管理的功能。

7.0.6 旅馆经营业务信息网络系统宜独立设置。

7.0.7 餐厅、咖啡茶座等公共区域宜配置具有独立音源和控制装置的背景音响。

7.0.8 旅馆的会议中心、中小型会议室等场所宜根据不同使用需要配置相应的会议系统。

7.0.9 旅馆的公共区域、各楼层电梯厅等场所宜配置信息发布显示终端。旅馆的大厅、公共场所宜配置信息查询导引显示终端,并应满足无障碍的要求。

7.0.10 客房集控系统应根据经营服务的等级进行配置。

7.0.11 客房内宜配置视频点播装置。

7.0.12 智能卡应用系统应与旅馆信息管理系统联网。旅馆建筑内进入客房区的电梯宜配置电梯控制系统。

· 34 ·

8 文 化 建 筑

8.1 一 般 规 定

8.1.1 文化建筑智能化系统工程应符合下列规定：

  1 应满足文献资料信息的采集、加工、利用和安全防护等要求；

  2 应具有为读者、公众提供文化学习和文化服务的能力；

  3 应满足文化建筑物业规范化运营管理的需要。

8.2 图 书 馆

8.2.1 图书馆智能化系统应按表8.2.1的规定配置。

表8.2.1 图书馆智能化系统配置表

<table>
<tr><th colspan="3">智能化系统</th><th>专门
图书馆</th><th>科研
图书馆</th><th>高等
学校
图书馆</th><th>公共
图书馆</th></tr>
<tr><td rowspan="7">信息化
应用系统</td><td colspan="2">公共服务系统</td><td>⊙</td><td>●</td><td>●</td><td>●</td></tr>
<tr><td colspan="2">智能卡应用系统</td><td>●</td><td>●</td><td>●</td><td>●</td></tr>
<tr><td colspan="2">物业管理系统</td><td>⊙</td><td>⊙</td><td>●</td><td>●</td></tr>
<tr><td colspan="2">信息设施运行管理系统</td><td>⊙</td><td>●</td><td>●</td><td>●</td></tr>
<tr><td colspan="2">信息安全管理系统</td><td>●</td><td>●</td><td>●</td><td>●</td></tr>
<tr><td>通用业务系统</td><td>基本业务办公系统</td><td colspan="4" rowspan="2">按相关管理等级要求配置</td></tr>
<tr><td>专业业务系统</td><td>图书馆数字化管理系统</td></tr>
<tr><td rowspan="2">智能化
集成系统</td><td colspan="2">智能化信息集成（平台）系统</td><td>○</td><td>⊙</td><td>●</td><td>●</td></tr>
<tr><td colspan="2">集成信息应用系统</td><td>○</td><td>⊙</td><td>●</td><td>●</td></tr>
</table>

续表 8.2.1

智能化系统		专门图书馆	科研图书馆	高等学校图书馆	公共图书馆
信息设施系统	信息接入系统	●	●	●	●
	布线系统	●	●	●	●
	移动通信室内信号覆盖系统	●	●	●	●
	用户电话交换系统	⊙	●	●	●
	无线对讲系统	⊙	⊙	●	●
	信息网络系统	●	●	●	●
	有线电视系统	●	●	●	●
	公共广播系统	●	●	●	●
	会议系统	⊙	⊙	●	●
	信息导引及发布系统	●	●	●	●
建筑设备管理系统	建筑设备监控系统	⊙	⊙	●	●
	建筑能效监管系统	⊙	⊙	●	●
公共安全系统	火灾自动报警系统	按国家现行有关标准进行配置			
	安全技术防范系统 入侵报警系统				
	视频安防监控系统				
	出入口控制系统				
	电子巡查系统				
	安全检查系统				
	停车库(场)管理系统	⊙	⊙	●	●
	安全防范综合管理(平台)系统	○	⊙	●	●
机房工程	信息接入机房	●	●	●	●
	有线电视前端机房	●	●	●	●
	信息设施系统总配线机房	●	●	●	●

· 36 ·

续表 8.2.1

智能化系统		专门图书馆	科研图书馆	高等学校图书馆	公共图书馆
机房工程	智能化总控室	●	●	●	●
	信息网络机房	⊙	●	●	●
	用户电话交换机房	⊙	●	●	●
	消防控制室	●	●	●	●
	安防监控中心	●	●	●	●
	智能化设备间(弱电间)	●	●	●	●
	机房安全系统	按国家现行有关标准进行配置			
	机房综合管理系统	○	⊙	●	●

注:●—应配置;⊙—宜配置;○—可配置。

8.2.2 图书馆信息化应用系统的配置应满足图书馆业务运行和物业管理的信息化应用需求。

8.2.3 信息网络系统应满足图书阅览和借阅的需求,业务工作区、阅览室、公众服务区应设置信息端口,公共区域应配置公用电话和无障碍专用的公用电话。图书馆应设置借阅信息查询终端和无障碍信息查询终端。

8.2.4 会议系统应满足文化交流的需求,且具有国际交流活动需求的会议室或报告厅宜配置同声传译系统。

8.2.5 建筑设备管理系统应满足图书储藏库的通风、除尘过滤、温湿度等环境参数的监控要求。

8.2.6 安全技术防范系统应按图书馆的阅览、藏书、管理办公等划分不同防护区域,并应确定不同技术防范等级。

8.3 档 案 馆

8.3.1 档案馆智能化系统应按表8.3.1的规定配置。

· 37 ·

表 8.3.1 档案馆智能化系统配置表

表 D.0.2 档案馆建筑智能化系统配置表智能化系统		乙级 档案馆	甲级 档案馆	特级 档案馆
信息化 应用系统	公共服务系统	⊙	●	●
	智能卡应用系统	⊙	●	●
	物业管理系统	○	⊙	●
	信息设施运行管理系统	○	⊙	●
	信息安全管理系统	⊙	⊙	●
	通用业务系统　　基本业务办公系统	按相关管理等级要求配置		
	专业业务系统　　档案工作业务系统			
智能化 集成系统	智能化信息集成(平台)系统			
	集成信息应用系统	○	⊙	●
信息设施 系统	信息接入系统	●	●	●
	布线系统	●	●	●
	移动通信室内信号覆盖系统	●	●	●
	用户电话交换系统	⊙	●	●
	无线对讲系统	⊙	●	●
	信息网络系统	●	●	●
	有线电视系统	●	●	●
	公共广播系统	●	●	●
	会议系统	○	⊙	●
	信息导引及发布系统	○	⊙	●
建筑设备 管理系统	建筑设备监控系统	⊙	●	●
	建筑能效监管系统	⊙	●	●

续表 8.3.1

表 D.0.2 档案馆建筑智能化系统配置表智能化系统			乙级档案馆	甲级档案馆	特级档案馆
公共安全系统		火灾自动报警系统	按国家现行有关标准进行配置		
	安全技术防范系统	入侵报警系统			
		视频安防监控系统			
		出入口控制系统			
		电子巡查系统			
		安全检查系统			
		停车库(场)管理系统	⊙	●	●
	安全防范综合管理(平台)系统		○	⊙	●
机房工程	信息接入机房		●	●	●
	有线电视前端机房		●	●	●
	信息设施系统总配线机房		●	●	●
	智能化总控室		●	●	●
	信息网络机房		⊙	●	●
	用户电话交换机房		⊙	●	●
	消防控制室		●	●	●
	安防监控中心		●	●	●
	智能化设备间(弱电间)		●	●	●
	机房安全系统		按国家现行有关标准进行配置		
	机房综合管理系统		○	⊙	●

注:●—应配置;⊙—宜配置;○—可配置。

8.3.2 信息化应用系统的配置应满足档案馆业务运行和物业管理的信息化应用需求。

8.3.3 信息网络系统应满足档案馆管理的需求,并应满足安全、保密等要求。

· 39 ·

8.3.4 建筑设备管理系统应满足档案资料防护的要求。

8.3.5 安全技术防范系统应根据档案馆的级别,采取相应的人防、技防配套措施。

8.4 文 化 馆

8.4.1 文化馆智能化系统应按表8.4.1的规定配置。

表8.4.1 文化馆智能化系统配置表

<table>
<tr><td colspan="2" rowspan="2">智能化系统</td><td>小型
文化馆</td><td>中型
文化馆</td><td>大型
文化馆</td></tr>
<tr></tr>
<tr><td rowspan="7">信息化
应用系统</td><td>公共服务系统</td><td>⊙</td><td>●</td><td>●</td></tr>
<tr><td>智能卡应用系统</td><td>⊙</td><td>●</td><td>●</td></tr>
<tr><td>物业管理系统</td><td>○</td><td>⊙</td><td>●</td></tr>
<tr><td>信息设施运行管理系统</td><td>○</td><td>⊙</td><td>●</td></tr>
<tr><td>信息安全管理系统</td><td>⊙</td><td>⊙</td><td>●</td></tr>
<tr><td>通用业务系统 基本业务办公系统</td><td colspan="3" rowspan="2">按相关管理等级要求配置</td></tr>
<tr><td>专业业务系统 文化馆信息化管理系统</td></tr>
<tr><td rowspan="2">智能化
集成系统</td><td>智能化信息集成(平台)系统</td><td>○</td><td>⊙</td><td>●</td></tr>
<tr><td>集成信息应用系统</td><td>○</td><td>⊙</td><td>●</td></tr>
<tr><td rowspan="10">信息设施
系统</td><td>信息接入系统</td><td>●</td><td>●</td><td>●</td></tr>
<tr><td>布线系统</td><td>●</td><td>●</td><td>●</td></tr>
<tr><td>移动通信室内信号覆盖系统</td><td>●</td><td>●</td><td>●</td></tr>
<tr><td>用户电话交换系统</td><td>⊙</td><td>●</td><td>●</td></tr>
<tr><td>无线对讲系统</td><td>⊙</td><td>●</td><td>●</td></tr>
<tr><td>信息网络系统</td><td>●</td><td>●</td><td>●</td></tr>
<tr><td>有线电视系统</td><td>●</td><td>●</td><td>●</td></tr>
<tr><td>公共广播系统</td><td>●</td><td>●</td><td>●</td></tr>
<tr><td>会议系统</td><td>⊙</td><td>●</td><td>●</td></tr>
<tr><td>信息导引及发布系统</td><td>⊙</td><td>●</td><td>●</td></tr>
</table>

续表 8.4.1

智能化系统		小型文化馆	中型文化馆	大型文化馆
建筑设备管理系统	建筑设备监控系统	⊙	⊙	●
	建筑能效监管系统	⊙	⊙	●
公共安全系统	火灾自动报警系统	按国家现行有关标准进行配置		
	安全技术防范系统 入侵报警系统			
	安全技术防范系统 视频安防监控系统			
	安全技术防范系统 出入口控制系统			
	安全技术防范系统 电子巡查系统			
	安全技术防范系统 安全检查系统			
	安全技术防范系统 停车库(场)管理系统	○	⊙	●
	安全防范综合管理(平台)系统	○	⊙	●
机房工程	信息接入机房	●	●	●
	有线电视前端机房	●	●	●
	信息设施系统总配线机房	●	●	●
	智能化总控室	●	●	●
	信息网络机房	⊙	●	●
	用户电话交换机房	⊙	●	●
	消防控制室	●	●	●
	安防监控中心	●	●	●
	智能化设备间(弱电间)	●	●	●
	机房安全系统	按国家现行有关标准进行配置		
	机房综合管理系统	○	⊙	●

注：●—应配置；⊙—宜配置；○—可配置。

8.4.2 信息化应用系统的配置应满足文化馆业务运行和物业管理的信息化应用需求。

· 41 ·

8.4.3 信息网络系统应适应文化馆内各活动功能区布局的需求，且公共活动区域宜提供无线接入。

8.4.4 建筑设备管理系统宜适应文化馆功能区局部使用及区域管理的需要，并宜按独立使用、配套管理、整体服务的运营方式配置。

8.4.5 安全技术防范系统应采取合理的人防、技防配套措施，并宜设置防暴安全检查系统。

9 博物馆建筑

9.0.1 博物馆建筑智能化系统工程应符合下列规定：

1 应适应对文献和文物的展示、查阅、陈列、学研等应用需求；

2 应适应博览物品向公众展示信息化的发展；

3 应满足博物馆建筑物业规范化运营管理的需要。

9.0.2 博物馆智能化系统应按表9.0.2的规定配置。

表9.0.2 博物馆智能化系统配置表

<table>
<tr><th colspan="2">智能化系统</th><th>小型
博物馆</th><th>中型
博物馆</th><th>大型
博物馆</th></tr>
<tr><td rowspan="7">信息化
应用系统</td><td>公共服务系统</td><td>⊙</td><td>●</td><td>●</td></tr>
<tr><td>智能卡应用系统</td><td>⊙</td><td>●</td><td>●</td></tr>
<tr><td>物业管理系统</td><td>○</td><td>⊙</td><td>●</td></tr>
<tr><td>信息设施运行管理系统</td><td>○</td><td>⊙</td><td>●</td></tr>
<tr><td>信息安全管理系统</td><td>○</td><td>⊙</td><td>●</td></tr>
<tr><td>通用业务系统　　基本业务办公系统</td><td colspan="3" rowspan="2">按相关管理等级要求配置</td></tr>
<tr><td>专业业务系统　　博物馆业务信息化系统</td></tr>
<tr><td rowspan="2">智能化
集成系统</td><td>智能化信息集成（平台）系统</td><td>○</td><td>⊙</td><td>●</td></tr>
<tr><td>集成信息应用系统</td><td>○</td><td>⊙</td><td>●</td></tr>
<tr><td rowspan="5">信息设施
系统</td><td>信息接入系统</td><td>●</td><td>●</td><td>●</td></tr>
<tr><td>布线系统</td><td>●</td><td>●</td><td>●</td></tr>
<tr><td>移动通信室内信号覆盖系统</td><td>●</td><td>●</td><td>●</td></tr>
<tr><td>用户电话交换系统</td><td>⊙</td><td>●</td><td>●</td></tr>
<tr><td>无线对讲系统</td><td>⊙</td><td>●</td><td>●</td></tr>
</table>

续表 9.0.2

智能化系统			小型博物馆	中型博物馆	大型博物馆
信息设施系统	信息网络系统		●	●	●
	有线电视系统		●	●	●
	公共广播系统		⊙	●	●
	会议系统		⊙	●	●
	信息导引及发布系统		⊙	●	●
建筑设备管理系统	建筑设备监控系统		⊙	●	●
	建筑能效监管系统		⊙	●	●
公共安全系统	火灾自动报警系统		按国家现行有关标准进行配置		
	安全技术防范系统	入侵报警系统			
		视频安防监控系统			
		出入口控制系统			
		电子巡查系统			
		安全检查系统			
		停车库(场)管理系统	⊙	⊙	●
	安全防范综合管理(平台)系统		○	⊙	●
机房工程	信息接入机房		●	●	●
	有线电视前端机房		●	●	●
	信息设施系统总配线机房		●	●	●
	智能化总控室		●	●	●
	信息网络机房		○	●	●
	用户电话交换机房		⊙	●	●
	消防控制室		●	●	●
	安防监控中心		●	●	●
	智能化设备间(弱电间)		●	●	●
	机房安全系统		按国家现行有关标准进行配置		
	机房综合管理系统		○	⊙	●

注:●—应配置;⊙—宜配置;○—可配置。

· 44 ·

9.0.3 信息化应用系统的配置应满足博物馆建筑业务运行和物业管理的信息化应用需求。

9.0.4 博物馆的公共服务系统宜配置触摸屏、多媒体播放屏、语音导览、多媒体导览器等设备，并宜配置手持式多媒体导览器。

9.0.5 博物馆的主要出入口和需控制人流密度的场所宜设置客流分析系统。

9.0.6 信息接入系统应满足博物馆管理人员远程及异地访问授权服务器的需要。

9.0.7 信息网络系统应满足博物馆内布展灵活、可扩展的需求。各业务工作区、陈列展览区、公众服务区应设置信息点，并宜满足远程信息接入与发布的需要。

9.0.8 博物馆宜根据展品成列状况配置视频显示终端。

9.0.9 当博物馆的会议系统具有国际交流功能时，应配置同声传译系统。

9.0.10 陈列展览区、公共服务区等场所宜设置信息查询终端和无障碍信息查询终端。

9.0.11 建筑设备管理系统应满足文物保存区环境的监控要求。

9.0.12 安全技术防范系统应符合国家现行有关标准的规定。

9.0.13 博物馆的观众主入口处宜设置安全检查系统。

10 观 演 建 筑

10.1 一 般 规 定

10.1.1 观演建筑智能化系统工程应符合下列规定：

1 应适应观演业务信息化运行的需求；

2 应具备观演建筑业务设施基础保障的条件；

3 应满足观演建筑物业规范化运营管理的需要。

10.2 剧 场

10.2.1 剧场智能化系统应按表 10.2.1 的规定配置。

表 10.2.1 剧场智能化系统配置表

智能化系统		小型剧场	中型剧场	大型剧场	特大型剧场
信息化应用系统	公共服务系统	⊙	●	●	●
	智能卡应用系统	●	●	●	●
	物业管理系统	⊙	⊙	●	●
	信息设施运行管理系统	○	⊙	●	●
	信息安全管理系统	○	⊙	●	●
	通用业务系统　基本业务办公系统				
	专业业务系统　舞台监督通信指挥系统	按国家现行有关标准进行配置			
	舞台监视系统				
	票务管理系统				
	自助寄存系统				
智能化集成系统	智能化信息集成(平台)系统	○	⊙	●	●
	集成信息应用系统	○	⊙	●	●

· 46 ·

续表 10.2.1

智能化系统		小型剧场	中型剧场	大型剧场	特大型剧场
信息设施系统	信息接入系统	●	●	●	●
	布线系统	●	●	●	●
	移动通信室内信号覆盖系统	●	●	●	●
	用户电话交换系统	○	⊙	●	●
	无线对讲系统	○	⊙	●	●
	信息网络系统	●	●	●	●
	有线电视系统	⊙	⊙	●	●
	公共广播系统	●	●	●	●
	会议系统	⊙	⊙	●	●
	信息导引及发布系统	⊙	●	●	●
建筑设备管理系统	建筑设备监控系统	○	⊙	●	●
	建筑能效监管系统	○	⊙	●	●
公共安全系统	火灾自动报警系统	按国家现行有关标准进行配置			
	安全技术防范系统 — 入侵报警系统				
	安全技术防范系统 — 视频安防监控系统				
	安全技术防范系统 — 出入口控制系统				
	安全技术防范系统 — 电子巡查系统				
	安全技术防范系统 — 安全检查系统				
	安全技术防范系统 — 停车库(场)管理系统	○	⊙	●	●
	安全防范综合管理(平台)系统	○	⊙	●	●
机房工程	信息接入机房	●	●	●	●
	有线电视前端机房	●	●	●	●
	信息设施系统总配线机房	●	●	●	●
	智能化总控室	●	●	●	●

· 47 ·

续表 10.2.1

智能化系统		小型剧场	中型剧场	大型剧场	特大型剧场
机房工程	信息网络机房	⊙	●	●	●
	用户电话交换机房	○	⊙	●	●
	消防控制室	●	●	●	●
	安防监控中心	●	●	●	●
	智能化设备间(弱电间)	○	●	●	●
	机房安全系统	按国家现行有关标准进行配置			
	机房综合管理系统	○	⊙	●	●

注:●—应配置;⊙—宜配置;○—可配置。

10.2.2 信息化应用系统的配置应满足剧场业务运行和物业管理的信息化应用需求。

10.2.3 剧场的出入口、贵宾出入口以及化妆室等宜设置自助寄存系统,且系统应具有友好的操作界面,并宜具有语音提示功能。

10.2.4 剧场的公共区域应设置移动通信室内信号覆盖系统;观演厅宜设置移动通信信号屏蔽系统,并应具有根据实际需要进行控制和管理的功能。

10.2.5 信息网络系统应满足剧场的信息传输要求和大型音视频信号转播的需要,并应预留相应音视频信号与外部互联的接口。

10.2.6 有线电视系统应满足数字电视信号传输发展的需求,并可将剧场的节目以及现场采访的实况信息传输至电视前端室或节目制播机房。

10.2.7 候场室、化妆区等候场区域应设置信息显示系统,并应显示剧场、演播室的演播实况,且应具有演出信息播放、排片、票务、广告信息的发布等功能。

10.2.8 剧场宜预留音视频信号传输接口,并应满足现场音视频传输的需求。

48

10.2.9 建筑设备管理系统应满足剧(影)院的室内空气质量、温湿度、新风量等环境参数的监控要求,并应满足公共区的照明、室外环境照明、泛光照明、演播室、舞台、观众席、会议室等的管理要求。

10.2.10 视频安防监控系统应在剧场内、放映室、候场区和售票处等场所设置摄像机。

10.3 电 影 院

10.3.1 电影院智能化系统应按表10.3.1的规定配置。

表10.3.1 电影院智能化系统配置表

<table>
<tr><td colspan="3">智能化系统</td><td>小型
电影院</td><td>中型
电影院</td><td>大型
电影院</td><td>特大型
电影院</td></tr>
<tr><td rowspan="7">信息化
应用系统</td><td colspan="2">公共服务系统</td><td>⊙</td><td>●</td><td>●</td><td>●</td></tr>
<tr><td colspan="2">智能卡应用系统</td><td>●</td><td>●</td><td>●</td><td>●</td></tr>
<tr><td colspan="2">物业管理系统</td><td>⊙</td><td>●</td><td>●</td><td>●</td></tr>
<tr><td colspan="2">信息安全管理系统</td><td>○</td><td>⊙</td><td>●</td><td>●</td></tr>
<tr><td>通用业务系统</td><td>基本业务办公系统</td><td colspan="4" rowspan="3">按国家现行有关标准进行配置</td></tr>
<tr><td rowspan="2">专业业务系统</td><td>票务管理系统</td></tr>
<tr><td>自助寄存系统</td></tr>
<tr><td rowspan="2">智能化
集成系统</td><td colspan="2">智能化信息集成(平台)系统</td><td>○</td><td>⊙</td><td>●</td><td>●</td></tr>
<tr><td colspan="2">集成信息应用系统</td><td>○</td><td>⊙</td><td>●</td><td>●</td></tr>
<tr><td rowspan="6">信息设施
系统</td><td colspan="2">信息接入系统</td><td>●</td><td>●</td><td>●</td><td>●</td></tr>
<tr><td colspan="2">布线系统</td><td>●</td><td>●</td><td>●</td><td>●</td></tr>
<tr><td colspan="2">移动通信室内信号覆盖系统</td><td>●</td><td>●</td><td>●</td><td>●</td></tr>
<tr><td colspan="2">用户电话交换系统</td><td>○</td><td>⊙</td><td>●</td><td>●</td></tr>
<tr><td colspan="2">无线对讲系统</td><td>○</td><td>⊙</td><td>●</td><td>●</td></tr>
<tr><td colspan="2">信息网络系统</td><td>●</td><td>●</td><td>●</td><td>●</td></tr>
</table>

续表 10.3.1

智能化系统			小型电影院	中型电影院	大型电影院	特大型电影院
信息设施系统	有线电视系统		●	●	●	●
	公共广播系统		⊙	⊙	●	●
	信息导引及发布系统		●	●	●	●
建筑设备管理系统	建筑设备监控系统		○	⊙	●	●
	建筑能效监管系统		○	⊙	●	●
公共安全系统	火灾自动报警系统		按国家现行有关标准进行配置			
	安全技术防范系统	入侵报警系统				
		视频安防监控系统				
		出入口控制系统				
		电子巡查系统				
		安全检查系统				
		停车库(场)管理系统	○	⊙	●	●
	安全防范综合管理(平台)系统		○	⊙	●	●
机房工程	信息接入机房		●	●	●	●
	有线电视前端机房		●	●	●	●
	信息设施系统总配线机房		●	●	●	●
	智能化总控室		●	●	●	●
	信息网络机房		⊙	●	●	●
	用户电话交换机房		○	⊙	●	●
	消防控制室		●	●	●	●
	安防监控中心		●	●	●	●
	智能化设备间(弱电间)		●	●	●	●
	机房安全系统		按国家现行有关标准进行配置			
	机房综合管理系统		○	⊙	●	●

注:●—应配置;⊙—宜配置;○—可配置。

10.3.2 信息化应用系统的配置应满足电影院业务运行和物业管理的信息化应用需求。

10.3.3 电影院的公共区域应设置移动通信室内信号覆盖系统。观演厅宜设置移动通信信号屏蔽系统,并应具有根据实际需要进行控制和管理的功能。

10.3.4 信息网络系统应满足电影院建筑对信息传输的应用要求。

10.3.5 有线电视系统应满足数字电视信号传输发展的需求。

10.3.6 候场区域应设置信息导引及发布系统的显示终端,并应具有电影院信息播放、排片、票务、广告信息等发布等功能。

10.3.7 建筑设备管理系统应满足电影院的室内空气质量、温湿度、新风量等环境参数的监控要求,并应满足公共区的照明、室外环境照明、泛光照明、放映室、观看厅等的管理要求。

10.3.8 视频安防监控系统应在电影院的观看厅和放映室、候场区和售票处等场所设置摄像机。

10.4 广播电视业务建筑

10.4.1 广播电视业务建筑智能化系统应按表 10.4.1 的规定配置。

表 10.4.1 广播电视业务建筑智能化系统配置表

智能化系统		区、县级广电业务建筑	地、市级广电业务建筑	省部级及以上广电业务建筑
信息化应用系统	公共服务系统	⊙	●	●
	智能卡应用系统	●	●	●
	物业管理系统	⊙	●	●
	信息设施运行管理系统	○	⊙	●
	信息安全管理系统	⊙	●	●

· 51 ·

续表 10.4.1

智能化系统			区、县级广电业务建筑	地、市级广电业务建筑	省部级及以上广电业务建筑
信息化应用系统	通用业务系统	基本业务办公系统	按国家现行有关标准进行配置		
	专业业务系统	广播、电视业务信息化系统			
		演播室内部通话系统			
		演播室内部监视系统			
		演播室内部监听系统			
智能化集成系统	智能化信息集成（平台）系统		⊙	●	●
	集成信息应用系统		⊙	●	●
信息设施系统	信息接入系统		●	●	●
	布线系统		●	●	●
	移动通信室内信号覆盖系统		●	●	●
	用户电话交换系统		⊙	●	●
	无线对讲系统		●	●	●
	信息网络系统		●	●	●
	有线电视系统		●	●	●
	卫星电视接收系统		⊙	●	●
	公共广播系统		⊙	●	●
	会议系统		●	●	●
	信息导引及发布系统		⊙	●	●
	时钟系统		⊙	●	●
建筑设备管理系统	建筑设备监控系统		⊙	●	●
	建筑能效监管系统		⊙	●	●

· 52 ·

续表 10.4.1

智能化系统			区、县级广电业务建筑	地、市级广电业务建筑	省部级及以上广电业务建筑
公共安全系统	火灾自动报警系统		按国家现行有关标准进行配置		
	安全技术防范系统	入侵报警系统			
		视频安防监控系统			
		出入口控制系统			
		电子巡查系统			
		访客对讲系统			
		停车库(场)管理系统	○	⊙	●
	安全防范综合管理(平台)系统		○	⊙	●
机房工程	信息接入机房		●	●	●
	有线电视前端机房		●	●	●
	信息设施系统总配线机房		●	●	●
	智能化总控室		●	●	●
	信息网络机房		●	●	●
	用户电话交换机房		⊙	●	●
	消防控制室		●	●	●
	安防监控中心		●	●	●
	应急响应中心		○	⊙	●
	智能化设备间(弱电间)		●	●	●
	机房安全系统		按国家现行有关标准进行配置		
	机房综合管理系统		○	⊙	●

注:●—应配置;⊙—宜配置;○—可配置。

10.4.2 信息化应用系统的配置应满足广播电视业务建筑的业务运行和物业管理的信息化应用需求。

10.4.3 信息接入系统除应提供公用信息网接入的电缆、光缆外,

· 53 ·

还应预留接至电视发射信号传输的光缆,并宜预留接至国家新闻出版广电总局等的传输光缆接口。

10.4.4 公共区域应设置移动通信室内信号覆盖系统。演播室、直播室、录音室、配音室等业务用房宜设置移动通信信号屏蔽系统,并应具有根据实际需要进行控制和管理的功能。

10.4.5 信息网络系统宜在演播室、演员和导演休息厅、候播区、大开间办公区域、贵宾室、大会议室、阅览室和休息区域等处提供无线接入。

10.4.6 有线电视系统应满足数字电视信号传输发展的需求,系统应能将建筑内演播室的节目以及现场采访情况的实时信息传输至电视前端控制室或节目制播机房。系统应提供多种电视信号节目源。

10.4.7 信息导引及发布系统应具有公共信息发布、提示通知、形象宣传、客流疏导、广告发布等业务信息发布和内部交通导航的功能。

10.4.8 时钟系统宜以母钟为基准信号,在导控室、音控室、灯光控制室、演播区、设备机房等处设置数字显示子钟,系统时钟显示器可显示标准时间、正计时、倒计时,并可由人工设定。

10.4.9 视频安防监控系统应在演播室、开放式演播室、播出中心机房、导控室、主控机房、传输机房、候播区和资料库等处设置摄像机。

10.4.10 首层电梯出入口处宜设置速通门以及临时访客的发卡设备,应与出入口控制系统智能卡兼容。在导控室、演播室、传输机房、制作机房、新闻播出机房、主控机房、分控机房、通信中心机房、数据中心机房和节目库等处,宜设置与智能卡系统兼容的出入口控制系统。

10.4.11 应设置独立的广播电视工艺缆线的竖井,按功能分别预留垂直和水平的工艺线槽,制作和播控等技术用房内缆线宜采用地板下布线方式。

11 会 展 建 筑

11.0.1 会展建筑智能化系统工程应符合下列规定：

1 应适应对展区和展物的布设及展示、会务及交流等的需求；

2 应适应信息化综合服务功能的发展；

3 应满足会展建筑物业规范化运营管理的需要。

11.0.2 会展建筑智能化系统应按表 11.0.2 的规定配置，并应符合现行行业标准《会展建筑电气设计规范》JGJ 333 的有关规定。

表 11.0.2 会展建筑智能化系统配置表

智能化系统		小型会展中心	中型会展中心	大型会展中心	特大型会展中心
信息化应用系统	公共服务系统	⊙	●	●	●
	智能卡应用系统	●	●	●	●
	物业管理系统	⊙	●	●	●
	信息设施运行管理系统	⊙	●	●	●
	信息安全管理系统	⊙	●	●	●
	通用业务系统　基本业务办公系统	按国家现行有关标准进行配置			
	专业业务系统　会展建筑业务运营系统				
	售检票系统				
	自助寄存系统				
智能化集成系统	智能化信息集成（平台）系统	⊙	●	●	●
	集成信息应用系统	⊙	●	●	●

· 55 ·

续表 11.0.2

智能化系统			小型会展中心	中型会展中心	大型会展中心	特大型会展中心
信息设施系统	信息接入系统		●	●	●	●
	布线系统		●	●	●	●
	移动通信室内信号覆盖系统		●	●	●	●
	用户电话交换系统		⊙	●	●	●
	无线对讲系统		●	●	●	●
	信息网络系统		●	●	●	●
	有线电视系统		●	●	●	●
	公共广播系统		●	●	●	●
	会议系统		⊙	●	●	●
	信息导引及发布系统		●	●	●	●
	时钟系统		○	⊙	●	●
建筑设备管理系统	建筑设备监控系统		⊙	●	●	●
	建筑能效监管系统		⊙	●	●	●
公共安全系统	火灾自动报警系统		按国家现行有关标准进行配置			
	安全技术防范系统	入侵报警系统				
		视频安防监控系统				
		出入口控制系统				
		电子巡查系统				
		安全检查系统				
	停车库(场)管理系统		○	⊙	●	●
	安全防范综合管理(平台)系统		⊙	●	●	●
	应急响应系统		○	⊙	●	●

续表 11.0.2

智能化系统		小型会展中心	中型会展中心	大型会展中心	特大型会展中心
机房工程	信息接入机房	●	●	●	●
	有线电视前端机房	●	●	●	●
	信息设施系统总配线机房	●	●	●	●
	智能化总控室	●	●	●	●
	信息网络机房	●	●	●	●
	用户电话交换机房	⊙	●	●	●
	消防控制室	●	●	●	●
	安防监控中心	●	●	●	●
	应急响应中心	○	⊙	●	●
	智能化设备间(弱电间)	●	●	●	●
	机房安全系统	按国家现行有关标准进行配置			
	机房综合管理系统	○	⊙	●	●

注:●—应配置;⊙—宜配置;○—可配置。

11.0.3 信息化应用系统的配置应满足会展建筑业务运行和物业管理的信息化应用需求。

11.0.4 公共区域应配置公用电话和无障碍专用的公用电话。

11.0.5 信息网络系统应适应灵活布展的需求,并宜根据展位分布情况配置信息端口。公共区域宜提供无线接入。

11.0.6 宜根据展位分布情况配置有线电视终端。

11.0.7 展厅的公共广播系统应根据面积、空间高度、扬声器的布局等,选择扬声器的类型及功率。

11.0.8 对于有多种语言讲解需求的会展建筑,宜设置电子语音或多媒体信息导览系统。

11.0.9 建筑设备管理系统应具有检测会展建筑的空气质量和调

· 57 ·

节新风量的功能。展厅宜设置智能照明控制系统，并应具有分区域就地控制、中央集中控制等方式。

11.0.10 安全技术防范系统应根据会展中心建筑客流大、展位多且展品开放式陈列的特点，采取人防与技术防范相配套的措施，并宜设置防暴安检和检票等系统。

11.0.11 火灾自动报警系统应适应展厅建筑面积大、空间高的结构特点，采取合适的火灾探测技术。

12 教育建筑

12.1 一般规定

12.1.1 教育建筑智能化系统工程应符合下列规定：

1 应适应教育建筑教学业务的需求；

2 应适应教学和科研的信息化发展；

3 应满足教育建筑物业规范化运营管理的需求。

12.2 高等学校

12.2.1 高等学校智能化系统应按表 12.2.1 的规定配置，并应符合现行行业标准《教育建筑电气设计规范》JGJ 310 的有关规定。

表 12.2.1 高等学校智能化系统配置表

智能化系统			高等专科学校	综合性大学
公共服务系统			⊙	●
校园智能卡应用系统			●	●
校园物业管理系统			⊙	●
信息设施运行管理系统			⊙	●
信息安全管理系统			●	●
信息化应用系统	通用业务系统	基本业务办公系统	按国家现行有关标准进行配置	
	专业业务系统	校务数字化管理系统		
		多媒体教学系统		
		教学评估音视频观察系统		
		多媒体制作与播放系统		
		语音教学系统		
		图书馆管理系统		

· 59 ·

续表 12.2.1

智能化系统		高等专科学校	综合性大学
智能化集成系统	智能化信息集成(平台)系统	⊙	●
	集成信息应用系统	⊙	●
信息设施系统	信息接入系统	●	●
	布线系统	●	●
	移动通信室内信号覆盖系统	●	●
	用户电话交换系统	●	●
	无线对讲系统	●	●
	信息网络系统	●	●
	有线电视系统	●	●
	公共广播系统	●	●
	会议系统	●	●
	信息导引及发布系统	●	●
建筑设备管理系统	建筑设备监控系统	⊙	●
	建筑能效监管系统	⊙	●
公共安全系统	火灾自动报警系统	按国家现行有关标准进行配置	
	安全技术防范系统 入侵报警系统		
	视频安防监控系统		
	出入口控制系统		
	电子巡查系统		
	停车库(场)管理系统	⊙	●
	安全防范综合管理(平台)系统	○	●
机房工程	信息接入机房	●	●
	有线电视前端机房	●	●
	信息设施系统总配线机房	●	●

· 60 ·

续表 12.2.1

智能化系统		高等专科学校	综合性大学
机房工程	智能化总控室	●	●
	信息网络机房	●	●
	用户电话交换机房	●	●
	消防控制室	●	●
	安防监控中心	●	●
	智能化设备间(弱电间)	●	●
	机房安全系统	按国家现行有关标准进行配置	
	机房综合管理系统	○	●

注:●—应配置;⊙—宜配置;○—可配置。

12.2.2 信息化应用系统的配置应满足高等学校教学业务运行和物业管理的信息化应用需求。

12.2.3 信息接入系统应将校园外部的公共信息网和教育信息专网引入校园内。

12.2.4 信息网络系统应满足数字化多媒体教学、学校办公和管理的需求。

12.2.5 公共广播系统应满足学校内各单体建筑室内和室外不同播音内容的需要。

12.2.6 会议中心(厅)、大中会议室、重要接待室和报告厅等有关场所应配置会议系统。

12.2.7 多功能教室宜配置多媒体教学系统。

12.2.8 专业演播室或虚拟演播室内应配置电视摄录编辑及多媒体制作与播放系统。

12.2.9 学校的校门口处、教学楼、行政管理楼、图书馆、会议中心(厅)、体育场(馆)、游泳馆、学校宾馆或招待所等应配置信息导引

· 61 ·

及发布系统。

12.3 高 级 中 学

12.3.1 高级中学智能化系统应按表12.3.1的规定配置,并应符合现行行业标准《教育建筑电气设计规范》JGJ 310 的有关规定。

表 12.3.1 高级中学智能化系统配置表

智能化系统			职业学校	普通高级中学
信息化应用系统	公共服务系统		○	⊙
	校园智能卡应用系统		●	●
	校园物业管理系统		⊙	●
	信息设施运行管理系统		○	⊙
	信息安全管理系统		⊙	●
	通用业务系统	基本业务办公系统	按国家现行有关标准进行配置	
	专业业务系统	校务数字化管理系统		
		多媒体教学系统		
		教学评估音视频观察系统		
		多媒体制作与播放系统		
		语音教学系统		
		图书馆管理系统		
智能化集成系统	智能化信息集成(平台)系统		⊙	●
	集成信息应用系统		⊙	●
信息设施系统	信息接入系统		●	●
	布线系统		●	●
	移动通信室内信号覆盖系统		●	●
	用户电话交换系统		⊙	●
	无线对讲系统		⊙	⊙
	信息网络系统		●	●

· 62 ·

续表 12.3.1

智能化系统		职业学校	普通高级中学
信息设施系统	有线电视系统	●	●
	公共广播系统	●	●
	会议系统	●	●
	信息导引及发布系统	●	●
建筑设备管理系统	建筑设备监控系统	⊙	●
	建筑能效监管系统	⊙	●
公共安全系统	火灾自动报警系统	按国家现行有关标准进行配置	
	安全技术防范系统 入侵报警系统		
	视频安防监控系统		
	出入口控制系统		
	电子巡查系统		
	安全防范综合管理(平台)系统	⊙	●
机房工程	有线电视系统	●	●
	公共广播系统	●	●
	信息设施系统总配线机房	●	●
	智能化总控室	●	●
	信息网络机房	●	●
	用户电话交换机房	⊙	●
	消防控制室	●	●
	安防监控中心	●	●
	智能化设备间(弱电间)	●	●
	机房安全系统	按国家现行有关标准进行配置	
	机房综合管理系统	○	⊙

注:●—应配置;⊙—宜配置;○—可配置。

· 63 ·

12.3.2 信息化应用系统的配置应满足高级中学教学业务运行和物业管理的信息化应用需求。

12.3.3 信息接入系统应将校园外部的公共信息网和教育信息专网引入校园内。

12.3.4 信息网络系统应满足数字化多媒体教学、学校办公和管理的需求。

12.3.5 公共广播系统应满足学校单体建筑室内和室外不同播音内容的需求,且公共广播系统在室外公用操场播音时,应具有远距离控制播放进程的功能。

12.3.6 餐厅、体育场(馆)等有关场所内宜配置独立的音响扩音系统,并应与楼内的火灾自动报警系统关联。

12.3.7 教室内应配置教室教学扩声系统。

12.3.8 会议室、报告厅等场所应配置会议系统。

12.3.9 教室宜根据需要配置多媒体教学终端系统,并可在学校的专业演播室内配置远程电视教学接入、控制、播放等配套设备。

12.3.10 信息导引及发布系统应与学校信息发布网络管理和学校有线电视系统互联。

12.4 初级中学和小学

12.4.1 初级中学和小学智能化系统应按表 12.4.1 的规定配置,并应符合现行行业标准《教育建筑电气设计规范》JGJ 310 的有关规定。

表 12.4.1 初级中学和小学智能化系统配置表

智能化系统		小学	初级中学
信息化应用系统	公共服务系统	⊙	⊙
	校园智能卡应用系统	⊙	●
	校园物业管理系统	○	⊙
	信息安全管理系统	⊙	●

续表 12.4.1

智能化系统			小学	初级中学
信息化应用系统	通用业务系统	基本业务办公系统	按国家现行有关标准进行配置	
	专业业务系统	多媒体教学系统		
		教学评估音视频观察系统		
		语音教学系统		
智能化集成系统	智能化信息集成（平台）系统		○	◉
	集成信息应用系统		○	◉
信息设施系统	信息接入系统		●	●
	布线系统		●	●
	移动通信室内信号覆盖系统		●	●
	用户电话交换系统		○	◉
	无线对讲系统		○	◉
	信息网络系统		●	●
	有线电视系统		●	●
	公共广播系统		●	●
	会议系统		○	◉
	信息导引及发布系统		◉	●
建筑设备管理系统	建筑设备监控系统		○	◉
	建筑能效监管系统		○	◉
公共安全系统	火灾自动报警系统		按国家现行有关标准进行配置	
	安全技术防范系统	入侵报警系统		
		视频安防监控系统		
		出入口控制系统		
		电子巡查系统		
	安全防范综合管理（平台）系统		○	○

65

续表 12.4.1

智能化系统		小学	初级中学
机房工程	信息接入机房	●	●
	有线电视前端机房	●	●
	信息设施系统总配线机房	●	●
	智能化总控室	●	●
	信息网络机房	○	⊙
	用户电话交换机房	○	⊙
	消防控制室	●	●
	安防监控中心	●	●
	智能化设备间(弱电间)	●	●

注:●—应配置;⊙—宜配置;○—可配置。

12.4.2 信息化应用系统的配置应满足初级中学和小学教学业务运行和物业管理的信息化应用需求。

12.4.3 信息接入系统应将校园外部的公共信息网和教育信息专网引入校园内。

12.4.4 信息网络系统应满足学校数字化多媒体教学、办公和管理的需求。

12.4.5 公共广播系统应满足学校单体建筑室内和校园室外不同播音内容的需求,系统在室外公用操场播音时,应具有远距离控制播放进程的管理功能。

12.4.6 教室内宜配置用于教学的无线扩声系统。

12.4.7 会议室等宜配置会议系统。

12.4.8 教室内宜根据需要配置多媒体教学终端系统,并在学校的电视演播室内配置远程电视教学接入、控制、播放等配套设备。

12.4.9 信息导引及发布系统应与学校信息发布网络管理和学校有线电视系统互联。

13 金融建筑

13.0.1 金融建筑智能化系统工程应符合下列规定：

1 应适应金融业务的需求；

2 应为金融业务运行提供基础保障；

3 应满足金融建筑物业规范化运营管理的需求。

13.0.2 金融建筑智能化系统应按表13.0.3的规定配置，并应符合现行行业标准《金融建筑电气设计规范》JGJ 284的有关规定。

表13.0.2 金融建筑智能化系统配置表

智能化系统		基本金融业务建筑	综合金融业务建筑
信息化应用系统	公共服务系统	●	●
	智能卡应用系统	●	●
	物业管理系统	⊙	●
	信息设施运行管理系统	●	●
	信息安全管理系统	●	●
	通用业务系统 基本业务办公系统	按国家现行有关标准进行配置	
	专业业务系统 金融业务系统		
智能化集成系统	智能化信息集成(平台)系统	⊙	●
	集成信息应用系统	⊙	●
信息设施系统	信息接入系统	●	●
	布线系统	●	●
	移动通信室内信号覆盖系统	●	●
	卫星通信系统	○	⊙
	用户电话交换系统	●	●

• 67 •

续表 13.0.2

智能化系统		基本金融业务建筑	综合金融业务建筑
信息设施系统	无线对讲系统	●	●
	信息网络系统	●	●
	有线电视系统	●	●
	公共广播系统	●	●
	会议系统	⊙	●
	信息导引及发布系统	●	●
建筑设备管理系统	建筑设备监控系统	⊙	●
	建筑能效监管系统	⊙	●
公共安全系统	火灾自动报警系统	按国家现行有关标准进行配置	
	安全技术防范系统 入侵报警系统		
	视频安防监控系统		
	出入口控制系统		
	电子巡查系统		
	安全检查系统		
	停车库(场)管理系统	⊙	●
	安全防范综合管理(平台)系统	⊙	●
机房工程	信息接入机房	●	●
	有线电视前端机房	●	●
	信息设施系统总配线机房	●	●
	智能化总控室	●	●
	信息网络机房	⊙	●
	用户电话交换机房	●	●
	消防控制室	●	●
	安防监控中心	●	●

· 68 ·

续表 13.0.2

智能化系统		基本金融业务建筑	综合金融业务建筑
机房工程	智能化设备间(弱电间)	●	●
	机房安全系统	按国家现行有关标准进行配置	
	机房综合管理系统	⊙	●

注:●—应配置;⊙—宜配置;○—可配置。

13.0.3 信息化应用系统的配置应满足金融建筑业务运行和物业管理的信息化应用需求。

13.0.4 信息接入系统应根据业务的需要,将公共通信或金融业务专用信息网引入金融建筑内。金融业务专用信息网的接入宜采用双路由方式。

13.0.5 卫星通信系统应满足金融业务专用通信的信息实时性的需求。

13.0.6 信息网络系统应符合各类金融网络业务信息安全性和可靠性的要求。

13.0.7 设备管理系统应满足金融建筑的运行与管理需求。

13.0.8 安全技术防范系统应符合现行国家标准《安全防范工程技术规范》GB 50348 的有关规定。

· 69 ·

14 交 通 建 筑

14.1 一 般 规 定

14.1.1 交通建筑智能化系统工程应符合下列规定：

  1 应适应交通业务的应用需求；

  2 应为交通运营业务环境设施提供基础保障；

  3 应满足现代交通建筑物业规范化运营管理的需求。

14.2 民用机场航站楼

14.2.1 民用机场航站楼智能化系统应按表14.2.1的规定配置，并应符合现行行业标准《交通建筑电气设计规范》JGJ 243的有关规定。

表 14.2.1 民用机场航站楼智能化系统配置表

智能化系统			支线航站楼	国际航站楼
信息化应用系统	公共服务系统		●	●
	智能卡应用系统		●	●
	物业管理系统		●	●
	信息设施运行管理系统		●	●
	信息安全管理系统		●	●
	通用业务系统	基本业务办公系统	按国家现行有关标准进行配置	
	专业业务系统	航站业务信息化管理系统		
		航班信息综合系统		
		离港系统		
		售检票系统		
		泊位引导系统		

· 70 ·

续表 14.2.1

智能化系统			支线航站楼	国际航站楼
智能化集成系统	智能化信息集成（平台）系统		⊙	●
	集成信息应用系统		⊙	●
信息设施系统	信息接入系统		●	●
	布线系统		●	●
	移动通信室内信号覆盖系统		●	●
	用户电话交换系统		●	●
	无线对讲系统		●	●
	信息网络系统		●	●
	有线电视系统		●	●
	公共广播系统		●	●
	会议系统		⊙	●
	信息导引及发布系统		●	●
	时钟系统		●	●
建筑设备管理系统	建筑设备监控系统		●	●
	建筑能效监管系统		●	●
公共安全系统	火灾自动报警系统		按国家现行有关标准进行配置	
	安全技术防范系统	入侵报警系统		
		视频安防监控系统		
		出入口控制系统		
		电子巡查系统		
		安全检查系统		
	停车库（场）管理系统		⊙	●
	安全防范综合管理（平台）系统		●	●
	应急响应系统		⊙	●

续表 14.2.1

智能化系统		支线航站楼	国际航站楼
机房工程	信息接入机房	●	●
	有线电视前端机房	●	●
	信息设施系统总配线机房	●	●
	智能化总控室	●	●
	信息网络机房	●	●
	用户电话交换机房	●	●
	消防控制室	●	●
	安防监控中心	●	●
	应急响应中心	⊙	●
	智能化设备间（弱电间）	●	●
	机房安全系统	按国家现行有关标准进行配置	
	机房综合管理系统	⊙	●

注：●—应配置；⊙—宜配置；○—可配置。

14.2.2 信息化应用系统的配置应满足各等级民用机场航站楼业务运行和物业管理的信息化应用需求。

14.2.3 信息接入系统应满足机场航站楼业务及海关、边防、检验检疫、公安、安全等进驻单位的信息通信需求。

14.2.4 移动通信室内信号覆盖系统应包含机场内集群通信等应用功能。

14.2.5 布线系统应支持电话、内通、离港、航显、网络、商业、安检信息、数字视频、泊位引导、行李控制等应用系统，并宜支持时钟、门禁、登机桥监测、电梯、自动扶梯及自动步梯监测、建筑设备管理等系统的信息传输。

14.2.6 用户电话交换系统宜采用建筑物归属地虚拟交换网方式或自建用户交换系统的方式，并应符合下列规定：

· 72 ·

1 应具备业务调度指挥功能,满足航站楼内各运营岗位、现场值班室和调度岗位等有线调度对讲的需要;

2 应满足机场调度通信和候机楼设备维护管理使用的需求;

3 应满足海关、边防、检验检疫、候机楼管理、物业管理、公安、安全和航空公司等驻场单位的语音、数据通信需求。

14.2.7 用于离港系统、安全检查系统以及公安、海关、边防的信息网络系统,应采用专用网络系统。规模较大的视频安防监控系统宜采用专用网络系统。办票大厅、候机区、登机口、行李分拣厅、近机位、贵宾室、餐饮、商业区等场所宜提供无线接入。

14.2.8 有线电视接收系统节目源应包含航班动态显示信息。

14.2.9 公共广播系统应播放航班动态信息。

14.2.10 时钟系统应采用全球卫星定位系统校时,主机应采用一主一备的热备份方式,并宜采用母钟、二级母钟、子钟三级组网方式。母钟和二级母钟应向其他有时基要求的系统提供同步校时信号。航站楼内值机大厅、候机大厅、到达大厅、到达行李提取大厅应安装同步校时的子钟。航站楼内贵宾休息室、商场、餐厅和娱乐等处宜安装同步校时的子钟。

14.2.11 安检信息系统应对检查交运行李、超规定交运行李、团体交运行李和旅客手提行李所查验的图像提供本地辨识和中心控制机房辨识,且应摄录贮存旅客肖像信息并传送至离港系统。

14.2.12 值机大厅应设置离港终端,满足旅客自助值机和行李交运业务的需要。

14.2.13 建筑设备管理系统应具有对电梯、自动扶梯、自动步道工作状态进行监视,故障报警记录的功能。应对电梯、自动扶梯、自动步道运行参数进行统计报表分析。

14.2.14 安全技术防范系统应符合机场航站楼的运行及管理需求。

14.3 铁路客运站

14.3.1 铁路客运站智能化系统应按表14.3.1的规定配置,并应符合现行行业标准《交通建筑电气设计规范》JGJ 243 的有关规定。

表 14.3.1　铁路客运站智能化系统配置表

智能化系统			铁路客运三等站	铁路客运一等站、二等站	铁路客运特等站
信息化应用系统	公共服务系统		●	●	●
	智能卡应用系统		●	●	●
	物业管理系统		⊙	●	●
	信息设施运行管理系统		⊙	●	●
	信息安全管理系统		●	●	●
	通用业务系统	基本业务办公系统	按国家现行有关标准进行配置		
	专业业务系统	公共信息查询系统			
		旅客引导显示系统			
		售检票系统			
		旅客行包管理系统			
智能化集成系统	智能化信息集成(平台)系统		⊙	●	●
	集成信息应用系统		⊙	●	●
信息设施系统	信息接入系统		●	●	●
	用户电话交换机房		●	●	●
	布线系统		●	●	●
	移动通信室内信号覆盖系统		●	●	●
	用户电话交换系统		●	●	●
	无线对讲系统		●	●	●
	信息网络系统		●	●	●
	有线电视系统		●	●	●
	公共广播系统		●	●	●
	会议系统		⊙	⊙	●
	信息导引及发布系统		●	●	●
	时钟系统		●	●	●

续表 14.3.1

智能化系统		铁路客运三等站	铁路客运一等站、二等站	铁路客运特等站
建筑设备管理系统	建筑设备监控系统	⊙	●	●
	建筑能效监管系统	⊙	●	●
公共安全系统	火灾自动报警系统	按国家现行有关标准进行配置		
	安全技术防范系统 — 入侵报警系统			
	安全技术防范系统 — 视频安防监控系统			
	安全技术防范系统 — 出入口控制系统			
	安全技术防范系统 — 电子巡查系统			
	安全技术防范系统 — 安全检查系统			
	停车库(场)管理系统	⊙	●	●
	安全防范综合管理(平台)系统	⊙	●	●
	应急响应系统	⊙	●	●
机房工程	信息接入机房	●	●	●
	有线电视前端机房	●	●	●
	信息设施系统总配线机房	●	●	●
	智能化总控室	●	●	●
	信息网络机房	●	●	●
	用户电话交换机房	●	●	●
	消防控制室	●	●	●
	安防监控中心	●	●	●
	应急响应中心	⊙	●	●
	智能化设备间(弱电间)	●	●	●
	机房安全系统	按国家现行有关标准进行配置		
	机房综合管理系统	⊙	●	●

注:●—应配置;⊙—宜配置;○—可配置。

75

14.3.2 信息化应用系统的配置应满足各等级铁路客运站业务运行和物业管理的信息化应用需求。

14.3.3 信息接入系统应满足公共信息网和铁路专用信息网的接入要求。

14.3.4 信息网络系统应支持列车到发通告系统、售票及检票系统、旅客行包管理系统、旅客引导显示系统、车站应用服务系统等的运行,并应能满足车站各作业点、旅客候车区对信息通信的需求。

14.3.5 有线电视接收系统的节目源应能显示列车发送/到达动态信息。

14.3.6 公共广播系统应满足铁路客运业务的应用需求。

14.3.7 时钟系统应满足车站作业、旅客候车的需要,并应提供与智能化集成系统的接口。

14.3.8 公共查询系统应能查询列车到发信息、旅客行包信息、车站各种服务设施的信息。

14.3.9 电话问询系统应具有互动式语音功能,满足查询、咨询等需求,并应具有自动话务分配的功能,且接入中继线和客服座席数量应满足旅客信息查询服务的要求。

14.3.10 旅客引导显示系统应符合下列规定:

  1 应为旅客提供综合信息显示服务;

  2 宜作为客运站内客运组织作业的辅助显示设施;

  3 应在进站、候车厅、检票口、站台、出站、天桥、廊道等设置显示相关业务信息的显示屏;

  4 应在客运站运行过程中需要接收列车到发通告信息的场所配置接收终端;

  5 系统主机应预留与上一级行车指挥信息系统联网的接口条件。

14.3.11 建筑设备管理系统应根据车辆运行时段,监控空调、照明、信息显示等设施。

· 76 ·

14.3.12 安全技术防范系统应符合现行国家标准《安全防范工程技术规范》GB 50348 的有关规定。

14.4 城市轨道交通站

14.4.1 城市轨道交通站智能化系统应按表 14.4.1 的规定配置，并应符合现行行业标准《交通建筑电气设计规范》JGJ 243 的有关规定。

表 14.4.1 城市轨道交通站智能化系统配置表

智能化系统			一般轨道交通站	枢纽轨道交通站
信息化应用系统	公共服务系统		⊙	●
	智能卡应用系统		●	●
	物业管理系统		⊙	●
	信息设施运行管理系统		●	●
	通用业务系统	基本业务办公系统	按国家现行有关标准进行配置	
	专业业务系统	公共信息查询系统		
		旅客引导显示系统		
		售检票系统		
智能化集成系统	智能化信息集成(平台)系统		⊙	●
	集成信息应用系统		⊙	●
信息设施系统	信息接入系统		●	●
	布线系统		●	●
	移动通信室内信号覆盖系统		●	●
	用户电话交换系统		⊙	●
	无线对讲系统		●	●
	信息网络系统		●	●
	有线电视系统		●	●

续表 14.4.1

智能化系统		一般 轨道交通站	枢纽 轨道交通站
信息设施 系统	公共广播系统	●	●
	会议系统	⊙	●
	信息导引及发布系统	●	●
	时钟系统	⊙	●
建筑设备 管理系统	建筑设备监控系统	●	●
	建筑能效监管系统	●	●
公共安全 系统	火灾自动报警系统		
	安全技术 防范系统　入侵报警系统	按国家现行有关标准进 行配置	
	安全技术 防范系统　视频安防监控系统		
	安全技术 防范系统　出入口控制系统		
	安全技术 防范系统　电子巡查系统		
	安全技术 防范系统　安全检查系统		
	安全技术 防范系统　停车库(场)管理系统	⊙	●
	安全防范综合管理(平台)系统	●	●
	应急响应系统	⊙	●
机房工程	信息接入机房	●	●
	有线电视前端机房	●	●
	信息设施系统总配线机房	●	●
	智能化总控室	●	●
	信息网络机房	⊙	●
	用户电话交换机房	⊙	●
	消防控制室	●	●
	安防监控中心	●	●
	应急响应中心	⊙	●

续表 14.4.1

智能化系统		一般 轨道交通站	枢纽 轨道交通站
机房工程	智能化设备间(弱电间)	●	●
	机房安全系统	按国家现行有关标准进行配置	
	机房综合管理系统	⊙	●

注:●—应配置;⊙—宜配置。

14.4.2 信息化应用系统的配置应满足各等级城市轨道交通站业务运行和物业管理的信息化应用需求。

14.4.3 公务与专用电话系统应与分组交换网、无线集群系统、公用市话网互联,应具有移动通信接入功能和无线接口,并应能与无线集群交换机相联。

14.4.4 用户电话交换系统应为独立或与轨道交通专用公务电话系统合设的专用调度电话系统,并应具有单呼、组呼、全呼、紧急呼叫和录音等功能。

14.4.5 信息网络系统应符合下列规定:

   1 应满足列车运行、运营管理、时钟同步、无线通信、公务联系和信息交换与传输等业务的需要;

   2 应具备中央级控制中心与车站及车辆段之间、车站与车站之间的信息传递和交换的功能;

   3 应能迅速可靠地传输语音、数据和图像等信息;

   4 应具有网络扩充和管理能力。

14.4.6 公共广播系统应保证控制中心调度员和车站值班员向乘客通告列车运行以及安全向导等服务信息,并应能向工作人员发布作业命令和通知。

14.4.7 时钟系统应为车站提供统一的标准时间信息,应为其他系统提供统一的基准时间,并应提供与智能化集成系统的接口。

14.4.8 信息发布系统应提供列车班次、换乘信息、路面交通、紧急通知、政府公告、紧急灾难等即时信息。

· 79 ·

14.4.9 建筑设备监控系统应符合下列规定：

1 应根据站内的空气质量对通风和空调进行控制,且当空气质量持续恶化时,系统应发出报警信号；

2 应根据列车的运行时间、室内照度等进行照明监控,并应监控室内标识、广告照明。

14.4.10 火灾自动报警系统应符合下列规定：

1 应能接收火灾信息,并执行车站防烟和排烟模式控制；

2 应能接收列车区间停车位置信号,并应根据列车火灾部位信息,执行隧道防烟和排烟模式控制；

3 应能接收列车区间阻隔信息,执行阻塞通风模式；

4 应配备车控室紧急控制盘,作为火灾工况自动控制的后备措施。

14.5 汽车客运站

14.5.1 汽车客运站智能化系统应按表 14.5.1 的规定配置,并应符合现行行业标准《交通建筑电气设计规范》JGJ 243 的有关规定。

表 14.5.1 汽车客运站智能化系统配置表

智能化系统		四级汽车客运站	三级汽车客运站	二级汽车客运站	一级汽车客运站
信息化应用系统	公共服务系统	⊙	⊙	●	●
	智能卡应用系统	○	⊙	●	●
	物业管理系统	○	⊙	●	●
	信息设施运行管理系统	○	⊙	●	●
	公共信息查询系统	⊙	⊙	●	●
	通用业务系统　基本业务办公系统	按国家现行有关标准进行配置			
	专业业务系统　旅客引导显示系统				
	售检票系统				

· 80 ·

续表 14.5.1

智能化系统		四级汽车客运站	三级汽车客运站	二级汽车客运站	一级汽车客运站
智能化集成系统	智能化信息集成(平台)系统	○	⊙	⊙	●
	集成信息应用系统	○	⊙	⊙	●
信息设施系统	信息接入系统	⊙	●	●	●
	布线系统	●	●	●	●
	移动通信室内信号覆盖系统	●	●	●	●
	用户电话交换系统	○	⊙	●	●
	无线对讲系统	○	⊙	●	●
	信息网络系统	●	●	●	●
	有线电视系统	○	⊙	●	●
	公共广播系统	⊙	●	●	●
	会议系统	○	⊙	●	●
	信息导引及发布系统	○	⊙	●	●
建筑设备管理系统	建筑设备监控系统	○	⊙	●	●
	建筑能效监管系统	○	○	⊙	●
公共安全系统	火灾自动报警系统	按国家现行有关标准进行配置			
	安全技术防范系统 入侵报警系统				
	视频安防监控系统				
	出入口控制系统				
	电子巡查系统				
	安全检查系统				
	停车库(场)管理系统	⊙	⊙	●	●
	安全防范综合管理(平台)系统	○	⊙	●	●
	应急响应系统	○	⊙	●	●

· 81 ·

续表 14.5.1

智能化系统		四级汽车客运站	三级汽车客运站	二级汽车客运站	一级汽车客运站
机房工程	信息接入机房	⊙	●	●	●
	有线电视前端机房	○	⊙	●	●
	信息设施系统总配线机房	⊙	●	●	●
	智能化总控室	○	⊙	●	●
	信息网络机房	○	⊙	●	●
	用户电话交换机房	○	⊙	●	●
	消防控制室	○	⊙	●	●
	安防监控中心	○	⊙	●	●
	应急响应中心	○	⊙	●	●
	智能化设备间(弱电间)	○	⊙	●	●
	机房安全系统	按国家现行有关标准进行配置			
	机房综合管理系统	○	⊙	●	●

注:●—应配置;⊙—宜配置;○—可配置。

14.5.2 信息化应用系统的配置应满足各等级汽车客运站业务运行和物业管理的信息化应用需求。

14.5.3 旅客引导显示系统应在客运站的进站、候车厅、检票口等设置显示营运业务需要的信息显示屏,并应在客运站的广播室、客运值班室、售票室、客运计划室、检票口等处配置信息显示屏。

14.5.4 公共信息查询系统应具有多处问询亭同时占用时排队等待处理功能,其电话问询值班台应能对现场任一问询亭进行人工或半自动应答作业。

14.5.5 公共广播系统应具有接发车、旅客乘降及候车等全部客运作业广播的语音合成功能,并应按候车厅、站前广场、售票厅以及客运值班室等划分广播区域的语音分区功能。

15 医 疗 建 筑

15.1 一 般 规 定

15.1.1 医疗建筑智能化系统工程应符合下列规定：

1 应适应医疗业务的信息化需求；

2 应向医患者提供就医环境的技术保障；

3 应满足医疗建筑物业规范化运营管理的需求。

15.2 综 合 医 院

15.2.1 综合医院智能化系统应按表 15.2.1 的规定配置，并应符合现行行业标准《医疗建筑电气设计规范》JGJ 312 的有关规定。

表 15.2.1 综合医院智能化系统配置表

智能化系统			一级医院	二级医院	三级医院
信息化应用系统	公共服务系统		⊙	●	●
	智能卡应用系统		⊙	●	●
	物业管理系统		⊙	●	●
	信息设施运行管理系统		○	●	●
	信息安全管理系统		⊙	●	●
	通用业务系统	基本业务办公系统	按国家现行有关标准进行配置		
	专业业务系统	医疗业务信息化系统			
		病房探视系统			
		视频示教系统			
		候诊呼叫信号系统			
		护理呼应信号系统			

• 83 •

续表 15.2.1

智能化系统		一级医院	二级医院	三级医院
智能化集成系统	智能化信息集成（平台）系统	○	◎	●
	集成信息应用系统	○	◎	●
信息设施系统	信息接入系统	●	●	●
	布线系统	●	●	●
	移动通信室内信号覆盖系统	●	●	●
	用户电话交换系统	◎	●	●
	无线对讲系统	●	●	●
	信息网络系统	●	●	●
	有线电视系统	●	●	●
	公共广播系统	●	●	●
	会议系统	◎	●	●
	信息导引及发布系统	●	●	●
建筑设备管理系统	建筑设备监控系统	◎	●	●
	建筑能效监管系统	○	◎	●
公共安全系统	火灾自动报警系统	按国家现行有关标准进行配置		
	安全技术防范系统 入侵报警系统			
	视频安防监控系统			
	出入口控制系统			
	电子巡查系统			
	停车库（场）管理系统	○	◎	●
	安全防范综合管理（平台）系统	○	◎	●
	应急响应系统	○	◎	●
机房工程	信息接入机房	●	●	●
	有线电视前端机房	●	●	●

续表 15.2.1

智能化系统		一级医院	二级医院	三级医院
机房工程	信息设施系统总配线机房	●	●	●
	智能化总控室	●	●	●
	信息网络机房	⊙	●	●
	用户电话交换机房	⊙	●	●
	消防控制室	●	●	●
	安防监控中心	●	●	●
	智能化设备间(弱电间)	●	●	●
	应急响应中心	○	⊙	●
	机房安全系统	按国家现行有关标准进行配置		
	机房综合管理系统	⊙	●	●

注:●—应配置;⊙—宜配置;○—可配置。

15.2.2 信息化应用系统的配置应满足综合医院业务运行和物业管理的信息化应用需求。

15.2.3 信息接入系统应满足医疗业务信息应用的需求。

15.2.4 移动通信室内信号覆盖系统的覆盖范围和信号功率应保证医疗设备的正常使用和患者的人身安全。

15.2.5 用户电话交换系统宜根据医院的业务需求,配置相应的无线寻呼系统或其他组群式的寻呼系统。

15.2.6 信息网络系统应为医疗业务信息化应用系统提供稳定、实用和安全的支撑条件,并应具备高宽带、大容量和高速率,宜具备系统升级的条件。

15.2.7 有线电视系统应提供本地有线电视节目或卫星电视及自制电视节目。

15.2.8 信息导引及发布系统应在医院大厅、挂号及药物收费处、门急诊候诊厅等公共场所配置发布各类医疗服务信息的显示屏和

· 85 ·

供患者查询的多媒体信息查询端机,并应与医院信息管理系统互联。

15.2.9 建筑设备管理系统应满足医院建筑的运行管理需求,并应根据医疗工艺要求,提供对医疗业务环境设施的管理功能。

15.2.10 安全技术防范系统应满足医院安全防范管理的要求。

15.3 疗 养 院

15.3.1 疗养院智能化系统应按表 15.3.1 的规定配置,并应符合现行行业标准《医疗建筑电气设计规范》JGJ 312 的有关规定。

表 15.3.1　疗养院智能化系统配置表

智能化系统			专科疗养院	综合性疗养院
信息化应用系统	公共服务系统		⊙	●
	智能卡应用系统		●	●
	物业管理系统		⊙	●
	信息设施运行管理系统		⊙	⊙
	信息安全管理系统		⊙	●
	通用业务系统	基本业务办公系统	按国家现行有关标准进行配置	
	专业业务系统	医疗业务信息化系统		
		医用探视系统		
		视频示教系统		
		候诊排队叫号系统		
		护理呼应信号系统		
智能化集成系统	智能化信息集成(平台)系统		○	⊙
	集成信息应用系统		○	⊙
信息设施系统	信息接入系统		●	●
	布线系统		●	●

续表 15. 3. 1

	智能化系统		专科疗养院	综合性疗养院
信息设施系统	移动通信室内信号覆盖系统		●	●
	用户电话交换系统		⊙	●
	无线对讲系统		⊙	●
	信息网络系统		●	●
	有线电视系统		●	●
	公共广播系统		●	●
	会议系统		⊙	⊙
	信息导引及发布系统		●	●
建筑设备管理系统	建筑设备监控系统		⊙	●
	建筑能效监管系统		○	⊙
公共安全系统	火灾自动报警系统		按国家现行有关标准进行配置	
	安全技术防范系统	入侵报警系统		
		视频安防监控系统		
		出入口控制系统		
		电子巡查系统		
		停车库(场)管理系统	○	⊙
	安全防范综合管理(平台)系统		○	⊙
	应急响应系统		○	○
机房工程	信息接入机房		●	●
	有线电视前端机房		●	●
	信息设施系统总配线机房		●	●
	智能化总控室		●	●
	信息网络机房		⊙	●
	用户电话交换机房		⊙	●

· 87 ·

续表 15.3.1

智能化系统		专科疗养院	综合性疗养院
机房工程	消防控制室	●	●
	安防监控中心	●	●
	应急响应中心	○	○
	智能化设备间(弱电间)	●	●
	机房安全系统	按国家现行有关标准进行配置	
	机房综合管理系统	○	⊙

注:●—应配置;⊙—宜配置;○—可配置。

15.3.2 信息化应用系统的配置应满足疗养院业务运行和物业管理的信息化应用需求。

15.3.3 疗养院建筑智能化系统应满足疗养院智能化应用功能的要求,各单项医疗科别或护理区域等可按本标准第15.2节的相关规定执行。

16 体 育 建 筑

16.0.1 体育建筑智能化系统工程应符合下列规定：

1 应适应体育赛事业务信息化的需求；

2 应具备体育赛事和其他多功能使用环境设施的基础保障；

3 应满足体育建筑物业规范化运营管理的需求。

16.0.2 体育建筑智能化系统应按表 16.0.2 的规定配置，并应符合现行行业标准《体育建筑电气设计规范》JGJ 351 的有关规定。

表 16.0.2 体育建筑智能化系统配置表

<table>
<tr><th colspan="3" rowspan="2">智能化系统</th><th>丙级
体育
建筑</th><th>乙级
体育
建筑</th><th>甲级
体育
建筑</th><th>特级
体育
建筑</th></tr>
<tr></tr>
<tr><td rowspan="5">信息化
应用系统</td><td colspan="2">公共服务系统</td><td>⊙</td><td>●</td><td>●</td><td>●</td></tr>
<tr><td colspan="2">智能卡应用系统</td><td>●</td><td>●</td><td>●</td><td>●</td></tr>
<tr><td colspan="2">物业管理系统</td><td>⊙</td><td>●</td><td>●</td><td>●</td></tr>
<tr><td colspan="2">信息设施运行管理系统</td><td>○</td><td>●</td><td>●</td><td>●</td></tr>
<tr><td colspan="2">信息安全管理系统</td><td>⊙</td><td>⊙</td><td>●</td><td>●</td></tr>
<tr><td rowspan="6"></td><td>通用业务系统</td><td>基本业务办公系统</td><td colspan="4" rowspan="6">按国家现行有关标准进行
配置</td></tr>
<tr><td rowspan="5">专业业务系统</td><td>计时记分系统</td></tr>
<tr><td>现场成绩处理系统</td></tr>
<tr><td>售验票系统</td></tr>
<tr><td>电视转播和现场评论
系统</td></tr>
<tr><td>升旗控制系统</td></tr>
</table>

· 89 ·

续表 16.0.2

智能化系统		丙级体育建筑	乙级体育建筑	甲级体育建筑	特级体育建筑
智能化集成系统	智能化信息集成（平台）系统	○	⊙	●	●
	集成信息应用系统	○	⊙	●	●
信息设施系统	信息接入系统	●	●	●	●
	布线系统	●	●	●	●
	移动通信室内信号覆盖系统	●	●	●	●
	用户电话交换系统	○	⊙	●	●
	无线对讲系统	○	⊙	●	●
	信息网络系统	●	●	●	●
	有线电视系统	●	●	●	●
	公共广播系统	●	●	●	●
	会议系统	●	●	●	●
	信息导引及发布系统	●	●	●	●
建筑设备管理系统	建筑设备监控系统	⊙	●	●	●
	建筑能效监管系统	⊙	●	●	●
公共安全系统	火灾自动报警系统	按国家现行有关标准进行配置			
	安全技术防范系统　入侵报警系统				
	安全技术防范系统　视频安防监控系统				
	安全技术防范系统　出入口控制系统				
	安全技术防范系统　电子巡查系统				
	安全技术防范系统　安全检查系统				
	安全技术防范系统　停车库（场）管理系统	⊙	●	●	●
	安全防范综合管理（平台）系统	○	⊙	●	●
	应急响应系统	○	⊙	●	●

续表 16.0.2

智能化系统		丙级体育建筑	乙级体育建筑	甲级体育建筑	特级体育建筑
机房工程	信息接入机房	●	●	●	●
	有线电视前端机房	●	●	●	●
	信息设施系统总配线机房	●	●	●	●
	智能化总控室	●	●	●	●
	信息网络机房	●	●	●	●
	用户电话交换机房	○	⊙	●	●
	消防控制室	●	●	●	●
	安防监控中心	●	●	●	●
	应急响应中心	○	⊙	●	●
	智能化设备间(弱电间)	●	●	●	●
	机房安全系统	按国家现行有关标准进行配置			
	机房综合管理系统	○	⊙	●	●

注:●—应配置;⊙—宜配置;○—可配置。

16.0.3 信息化应用系统的配置应满足体育建筑业务运行和物业管理的信息化应用需求。

16.0.4 信息接入系统应满足体育建筑各类信息通信业务的需求。

16.0.5 用户电话交换系统应满足体育赛事和其他应用功能对通信的需求,并为观众、运动员、体育赛事主办者、新闻媒体等提供便捷、高效、可靠的通信服务。

16.0.6 信息网络系统应符合下列规定:

　　1 应为体育赛事组委会、新闻媒体和场馆运营管理者等提供安全、有效的信息服务;

　　2 应满足体育建筑内信息通信的要求;

· 91 ·

3 应兼顾场(馆)赛事期间使用和场(馆)赛后多功能应用的需求,并为场(馆)信息系统的发展创造条件。

16.0.7 有线电视系统应为体育赛事功能的电视转播、现场影像采集及回放、赛事统计等应用系统预留互联接口。

16.0.8 公共广播系统应在比赛场地和观众看台区外的公共区域和工作区等区域配置,宜与比赛场地和观众看台区的赛事扩声系统互相独立配置,公共广播系统与赛事扩声系统之间应实现互联,并可在需要时实现同步播音。

16.0.9 火灾自动报警系统对报警区域和探测区域的划分应满足体育赛事和其他活动功能分区的需要。

16.0.10 安全技术防范系统应与体育建筑的等级、规模相适应。

17 商店建筑

17.0.1 商店建筑智能化系统工程应符合下列规定：

1 应适应商店业务经营及服务的需求；

2 应满足商业经营及服务质量的需求；

3 应满足商店建筑物业规范化运营管理的需求。

17.0.2 商店建筑智能化系统应按表 17.0.2 的规定配置。

表 17.0.2 商店建筑智能化系统配置表

智能化系统		小型商店	中型商店	大型商店
信息化应用系统	公共服务系统	⊙	●	●
	智能卡应用系统	●	●	●
	物业管理系统	⊙	●	●
	信息设施运行管理系统	○	⊙	●
	信息安全管理系统	⊙	●	●
	通用业务系统　基本业务办公系统	按国家现行有关标准进行配置		
	专业业务系统　商店经营业务系统			
智能化集成系统	智能化信息集成(平台)系统	○	⊙	●
	集成信息应用系统	○	⊙	●
信息设施系统	信息接入系统	●	●	●
	布线系统	●	●	●
	移动通信室内信号覆盖系统	●	●	●
	用户电话交换系统	⊙	●	●
	无线对讲系统	⊙	●	●
	信息网络系统	●	●	●
	有线电视系统	●	●	●

· 93 ·

续表 17.0.2

智能化系统		小型商店	中型商店	大型商店
信息设施系统	公共广播系统	●	●	●
	会议系统	○	⊙	●
	信息导引及发布系统	●	●	●
建筑设备管理系统	建筑设备监控系统	⊙	●	●
	建筑能效监管系统	○	⊙	●
公共安全系统	火灾自动报警系统	按国家现行有关标准进行配置		
	安全技术防范系统 入侵报警系统			
	视频安防监控系统			
	出入口控制系统			
	电子巡查系统			
	停车库(场)管理系统	⊙	⊙	●
	安全防范综合管理(平台)系统	○	⊙	●
	应急响应系统	○	⊙	●
机房工程	信息接入机房	●	●	●
	有线电视前端机房	●	●	●
	信息设施系统总配线机房	●	●	●
	智能化总控室	●	●	●
	信息网络机房	⊙	●	●
	用户电话交换机房	⊙	●	●
	消防控制室	●	●	●
	安防监控中心	●	●	●
	应急响应中心	○	⊙	●
	智能化设备间(弱电间)	●	●	●
	机房安全系统	按国家现行有关标准进行配置		
	机房综合管理系统	○	⊙	●

注:●—应配置;⊙—宜配置;○—可配置。

17.0.3 信息化应用系统的配置应满足商店建筑业务运行和物业管理的信息化应用需求。

17.0.4 信息接入系统宜将各类公共通信网引入建筑内。

17.0.5 公共活动区域和供顾客休闲场所等处宜配置宽带无线接入网。

17.0.6 宜按商业经营模式和管理的需求配置用户电话交换系统。

17.0.7 经营业务信息网络系统宜独立设置。

17.0.8 有线电视系统应满足商业经营和顾客的收视需求。

17.0.9 餐厅、咖啡茶座等公共活动区域宜配置具有独立音源和控制装置的背景音乐系统。

17.0.10 公共区域宜配置信息发布显示屏,大厅及公共场所宜配置信息查询导引显示终端。

18 通用工业建筑

18.0.1 通用工业建筑智能化系统工程应符合下列规定：

1 应满足通用工业建筑实现安全、节能、环保和降低生产成本的目标需求；

2 应向生产组织、业务管理等提供保障业务信息化流程所需的基础条件；

3 应实施对通用要求能源供给、作业环境支撑设施的智能化监控及建筑物业的规范化运营管理。

18.0.2 通用工业建筑智能化系统应按表 18.0.2 的规定配置。

表 18.0.2 通用工业建筑智能化系统配置表

智能化系统			辅助型作业环境	加工生产型作业环境
信息化应用系统	公共服务系统		⊙	●
	智能卡应用系统		⊙	●
	物业管理系统		⊙	●
	信息安全管理系统		⊙	●
	通用业务系统	基本业务办公系统	●	●
	专业业务系统	企业信息化管理系统	⊙	●
智能化集成系统	智能化信息集成(平台)系统		○	⊙
	集成信息应用系统		○	⊙
信息设施系统	信息接入系统		●	●
	布线系统		●	●
	移动通信室内信号覆盖系统		●	●
	用户电话交换系统		⊙	⊙

· 96 ·

续表 18.0.2

智能化系统			辅助型作业环境	加工生产型作业环境
信息设施系统	无线对讲系统		●	●
	信息网络系统		●	●
	有线电视系统		●	●
	公共广播系统		●	●
	信息导引及发布系统		○	⊙
建筑设备管理系统	建筑设备监控系统		●	●
	建筑能效监管系统		⊙	●
公共安全系统	火灾自动报警系统		按国家现行有关标准进行配置	
	安全技术防范系统	入侵报警系统		
		视频安防监控系统		
		出入口控制系统		
		电子巡查系统		
		停车库(场)管理系统	⊙	⊙
	安全防范综合管理(平台)系统		○	⊙
机房工程	信息接入机房		●	●
	有线电视前端机房		●	●
	信息设施系统总配线机房		●	●
	智能化总控室		●	●
	信息网络机房		⊙	●
	用户电话交换机房		⊙	⊙
	消防控制室		●	●
	安防监控中心		●	●
	智能化设备间(弱电间)		●	●
	机房安全系统		按国家现行有关标准进行配置	
	机房综合管理系统		○	⊙

注:●—应配置;⊙—宜配置;○—可配置。

· 97 ·

18.0.3 信息化应用系统的配置应满足通用工业建筑生产及管理的信息化应用要求。

18.0.4 智能化集成系统应根据实际生产及管理的需要,实现对各智能化子系统的协同控制和对设施资源的综合管理。

18.0.5 用户电话交换系统宜采用先进的信息通信技术手段,满足生产指挥调度和经营、管理的需要。

18.0.6 信息网络系统应满足通用工业建筑生产管理信息安全、可靠传输的要求,并应根据工位布局、现场环境条件等特点,选择配置网络设备、缆线及机柜等配套设备。

18.0.7 公共广播系统应根据生产车间环境噪声、面积、空间高度等选择扬声器的类型、功率,满足扩声效果。

18.0.8 建筑设备管理系统应符合下列规定:

1 应满足对生产、办公、生活所需的各种电源、热源、水源、气(汽)源等能源供应系统的监控和管理要求;

2 应满足能源供应品质和节能要求;

3 应满足对供暖通风和空气调节、给水排水和照明等建筑基础环境的监控和管理要求;

4 应满足生产环境、职业安全与劳动保护的环境控制与运行可靠性要求;

5 对生产废水、废气、废渣排放处理等环境保护系统的监控和管理应满足三废排放指标控制要求。

18.0.9 安全技术防范系统应满足通用工业生产区域人流和物流的受控范围和防护级别的要求。

18.0.10 火灾自动报警系统应根据生产厂房面积大、空间和结构复杂性等特点,采取合适的火灾探测方式及有效的灭火措施。

18.0.11 机房工程宜包括生产设备控制管理机房和企业网络及综合管理中心机房等。

本标准用词说明

1 为便于在执行本规范条文时区别对待,对要求严格程度不同的用词说明如下:

1) 表示很严格,非这样做不可的:

正面词采用"必须",反面词采用"严禁";

2) 表示严格,在正常情况下均应这样做的:

正面词采用"应",反面词采用"不应"或"不得";

3) 表示允许稍有选择,在条件许可时首先应这样做的:

正面词采用"宜",反面词采用"不宜";

4) 表示有选择,在一定条件下可以这样做的,采用"可"。

2 条文中指明应按其他有关标准执行的写法为:"应符合⋯⋯的规定"或"应按⋯⋯执行"。

引用标准名录

《建筑设计防火规范》GB 50016

《火灾自动报警系统设计规范》GB 50116

《电子信息系统机房设计规范》GB 50174

《有线电视系统工程技术规范》GB 50200

《综合布线系统工程设计规范》GB 50311

《建筑物电子信息系统防雷技术规范》GB 50343

《安全防范工程技术规范》GB 50348

《厅堂扩声系统设计规范》GB 50371

《绿色建筑评价标准》GB/T 50378

《入侵报警系统工程设计规范》GB 50394

《视频安防监控系统工程设计规范》GB 50395

《出入口控制系统工程设计规范》GB 50396

《视频显示系统工程技术规范》GB 50464

《公共广播系统工程技术规范》GB 50526

《用户电话交换系统工程设计规范》GB/T 50622

《会议电视会场系统工程设计规范》GB 50635

《电子会议系统设计规范》GB 50799

《电磁环境控制限值》GB 8702

《民用建筑电气设计规范》JGJ 16

《住宅建筑电气设计规范》JGJ 242

《交通建筑电气设计规范》JGJ 243

《金融建筑电气设计规范》JGJ 284

《教育建筑电气设计规范》JGJ 310

《医疗建筑电气设计规范》JGJ 312

《会展建筑电气设计规范》JGJ 333

《建筑设备监控系统工程技术规范》JGJ/T 334

《体育建筑电气设计规范》JGJ 351

《有线接入网设备安装工程设计规范》YD/T 5139

中华人民共和国国家标准

智能建筑设计标准

GB 50314 - 2015

条 文 说 明

修 订 说 明

《智能建筑设计标准》GB 50314—2015,经住房和城乡建设部 2015 年 3 月 8 日以第 778 号公告批准发布。

本标准是在《智能建筑设计标准》GB/T 50314—2006 的基础上修订而成的,上一版的主编单位是上海现代建筑设计(集团)有限公司、上海现代建筑设计(集团)有限公司技术中心、现代设计集团华东建筑设计研究院有限公司、现代设计集团上海建筑设计研究院有限公司,副主编单位是北京市建筑设计研究院、中国电子工程设计院,参编单位是中国建筑设计研究院、中国建筑标准设计研究院、中国建筑东北设计研究院、新疆建筑设计研究院、京移通信设计院有限公司、江苏省土木建筑学会、公安部科技局、广州复旦奥特科技股份有限公司、上海华东电脑股份有限公司、太极计算机股份有限公司、霍尼韦尔自动化控制系统集团、上海国际商业机器工程技术有限公司、上海江森自控有限公司、西门子楼宇科技(天津)有限公司、美国康普国际控股有限公司,主要起草人是温伯银、赵济安、邵民杰、吴文芳、瞿二澜、王小安、林海雄、成红文、陈众励、钱克文、徐钟芳、戴建国、李军、章文英、洪元颐、谢卫、张文才、李雪佩、孙兰、刘希清、郭晓岩、张宜、陆伟良、朱甫泉。

本次修订的主要技术内容包括:总则、术语、工程架构、设计要素、住宅建筑、办公建筑、旅馆建筑、文化建筑、博物馆建筑、观演建筑、会展建筑、教育建筑、金融建筑、交通建筑、医疗建筑、体育建筑、商店建筑、通用工业建筑。

本标准修订过程中,编制组进行了对上一版标准执行情况的调查研究,总结了我国工程建设智能建筑专业领域近年来的实践经验,同时参考了国外先进技术法规和标准。根据智能建筑工程设计的需要,增加了第 3 章工程架构;按照建筑电气设计标准体系,对智能建筑的分类作相应调整;对其他各章所涉及的主要内容进行了补充、完善和必要的修改。

为便于广大设计、施工、科研、学校等单位有关人员在使用本标准时能正确理解和执行条文规定,《智能建筑设计标准》编制组按章、节、条顺序编制了本标准的条文说明,对条文规定的目的、依据以及执行中需注意的有关事项进行了说明,还着重对强制性条文的强制性理由做了解释。但是,本条文说明不具备与标准正文同等的法律效力,仅供使用者作为理解和把握标准规定的参考。

目　次

1　总　　则 ·· (109)

2　术　　语 ··· (111)

3　工程架构 ··· (114)

　　3.1　一般规定 ·· (114)

　　3.2　设计等级 ·· (115)

　　3.3　架构规划 ·· (115)

　　3.4　系统配置 ·· (117)

4　设计要素 ··· (122)

　　4.1　一般规定 ·· (122)

　　4.2　信息化应用系统 ································· (122)

　　4.3　智能化集成系统 ································· (125)

　　4.4　信息设施系统 ···································· (128)

　　4.5　建筑设备管理系统 ···························· (132)

　　4.6　公共安全系统 ···································· (133)

　　4.7　机房工程 ·· (135)

5　住宅建筑 ··· (139)

6　办公建筑 ··· (140)

　　6.2　通用办公建筑 ···································· (140)

　　6.3　行政办公建筑 ···································· (140)

7　旅馆建筑 ··· (141)

8　文化建筑 ··· (142)

　　8.2　图书馆 ··· (142)

　　8.3　档案馆 ··· (142)

　　8.4　文化馆 ··· (143)

· 107 ·

9 博物馆建筑 ······················· (144)

10 观演建筑 ························· (145)

    10.2 剧场 ························· (145)

    10.3 电影院 ······················ (145)

    10.4 广播电视业务建筑 ············· (146)

11 会展建筑 ························· (147)

12 教育建筑 ························· (148)

    12.2 高等学校 ····················· (148)

    12.3 高级中学 ····················· (148)

    12.4 初级中学和小学 ··············· (149)

13 金融建筑 ························· (150)

14 交通建筑 ························· (151)

    14.2 民用机场航站楼 ··············· (151)

    14.3 铁路客运站 ··················· (153)

    14.4 城市轨道交通站 ··············· (154)

    14.5 汽车客运站 ··················· (156)

15 医疗建筑 ························· (157)

    15.2 综合医院 ····················· (157)

    15.3 疗养院 ······················ (158)

16 体育建筑 ························· (159)

17 商店建筑 ························· (160)

18 通用工业建筑 ····················· (161)

1 总　则

1.0.1　为适应建筑智能化工程技术发展和建筑智能化系统工程建设的需要，使本标准具有适时性、适用性和可指导性，对本标准上一版进行了修订工作。本标准所定义的"智能建筑"术语，是延用了本标准上一版的提法，该提法已被行业认可。因智能建筑工程是以建筑物为对象展开的，因此根据本标准所涵盖"智能建筑"的实际具体内容，本次修订更清晰地明确了"智能建筑"的具体内容，即以智能化技术与建筑技术融合的"建筑智能化系统工程"。

1.0.2　为实现各类建筑智能化系统工程建设目标，本标准展示了各类建筑所应具有的智能化功能、设计标准等级和所需配置的智能化系统，增强了本标准实施的可操作性。在实际工程建设中，往往较多的是以多功能类别组合的综合体建筑物或以多单体建筑合成的群体建筑物等工程项目业态形式，该类形式的项目应分别以单项功能建筑（或同一建筑物内的单项功能区域）的设计标准配置为基础，按照多功能合成的整体建筑物运营及管理的特征及要求合成配置进行实施，在本次修订工作中，均按建筑电气设计标准体系及已列入编制计划的分类，对本标准上一版中各建筑的功能类别及排列顺序进行相应调整。

1.0.3　以节约资源、保护环境为主题的绿色建筑是国家对建筑工程建设要求的基本导向，本标准规定了智能建筑建设应围绕这一目标，通过智能化技术与建筑技术的融合，有效提升建筑综合性能，同时，在本标准中，具体明确以应用功能为依据、运营规范为目标、技术适时为前提、经济合理为基础的智能化系统工程建设技术路线要求。

1.0.4　本标准规定建筑智能化系统工程设计应注重以智能化的

· 109 ·

科技功能与智能化系统工程的综合技术功效互为对应,突现以科学、务实的技术理念指导工程设计行为的必要性和树立以可实现的智能化技术功效印证智能化应用功能的目标性,从而规避确立智能化功能前提模糊、制订工程技术方案雷同或照搬的盲目性和简单化倾向,倡导以现代科技持续对应用现状推进导向的主动性,引导行业提升智能化系统工程技术的发展前景和拓展智能化系统的应用空间。本条中的可维护性,是明确要求在智能化系统工程建设完成后交付的使用期内,对建筑生命周期内不断提升智能化综合技术功效的持续完善和使之发挥更有效支撑作用的不断挖掘。

1.0.5 本标准所引用的国家现行相关建筑智能化系统工程的设计标准,是本标准在实施中应遵守的基础技术依据。在本标准中未注明该标准发布年号所被使用的标准,应是该标准实施中的有效版本。

2 术 语

2.0.1 在信息科技发展的推动下，以建筑物为载体，以数字化、网络化等信息化应用为显著技术特征的建筑智能化系统工程，集架构、系统、应用、管理及其优化组合，有效提升了各类智能化信息的综合应用功能，使建筑物逐步形成以人、建筑、环境互为协调的整合体，从而构成具有感知、传输、记忆、推理、判断和决策的物类化生命体综合效应的智慧能力，更贴切地适应并满足人们对工作和生活环境的建筑物具有安全、高效、便利、生态及可持续发展的现代功能需求，因此，对智能建筑应注入适时的内涵和提出新的建设要求。在本标准修订中，对智能建筑设计，突现以各类智能化信息的深度挖掘、资源集聚和综合应用为前提，推导以信息网络统一化的工程架构规划程序，注重以信息集成平台的搭建和实施运行、运营及运维等信息化应用模式，以满足营造良好建筑功能环境和适应更优良功能空间拓展的需求，并创造可持续完善的基础条件。

2.0.2 建筑智能化系统工程建设，是在建筑环境中以各类业务应用和设施运营及物业管理等功能验证要求和以相关信息流运动的网络化应用过程，是体现了建筑智能工程中内在的以信息形式关联的系统工程整体设施化的层次化结构和逻辑性分项展开的规律，本标准规定的智能化系统工程整体架构规划，是基于建筑本体物理组态的状况和对其实施功能的目标，以及提升建筑的"智能"以信息传递为导向的技术主线而渐进展开的，从而形成由若干智能化设施(系统)组合的工程架构形式。

2.0.5 信息设施系统包括：信息接入系统、布线系统、移动通信室内信号覆盖系统、卫星通信系统、用户电话交换系统、无线对讲系统、信息网络系统、有线电视及卫星电视接收系统、公共广播系统、

·111·

会议系统、信息导引及发布系统、时钟系统及其他相关的信息设施系统等,各系统在智能化系统工程中分别具有的应用意义如下:

(1)信息接入系统:由外部信息引入建筑物并与建筑物内的信息设施系统进行信息关联和对接的电子信息系统。

(2)布线系统:能够支持智能化系统的信息电子设备相连的各种缆线、跳线、接插、软线和连接器件组成的系统,并对建筑物内信息传输系统以集约化方式整合为统一及融合的共享信息传输的物理层。

(3)移动通信室内信号覆盖系统:由移动通信信号的接受、发射及传输等设施组成的移动通信基站在室内设置形式的电子系统。

(4)卫星通信系统:以卫星作为中继站转发微波信号在多个地面站之间通信,实现对地面完整覆盖的微波通信系统。

(5)用户电话交换系统:供用户自建专用通信网和建筑内通信业务中使用,并与公网连接的用户电话交换系统。

(6)无线对讲系统:独立的以放射式的双频双向自动交互方式通信的系统,实现克服因使用通信范围或建筑结构等因素引起的通信信号无法覆盖盲区,确保畅通的对讲通信功能。

(7)信息网络系统:通过通信介质,由操作者、计算机及其他外围设备等组成且实现信息收集、传递、存贮、加工、维护和使用的系统。

(8)有线电视及卫星电视接收系统:由外部有线电视信息引入建筑物,用射频电缆、光缆、多路微波或其组合实现建筑物内传输、分配和交换声音、图像及数据信号的电视系统,前端信号并按需要可包括卫星电视信息前端接收装置。

(9)公共广播系统:为公共广播覆盖区服务的集公共广播设备、设施及公共广播覆盖区的声学环境所形成的电子系统。

(10)会议系统:集音频、通信、控制、多媒体等技术的整合实现会议应用功能的电子系统。

(11)信息导引及发布系统:应用网络实现远程多点分布式信息播放和集中管理控制的系统。

(12)时钟系统:应用网络实现以设定基准值的时钟,为纳入同一范围内智能化系统的统一基准时间同步的电子系统。

2.0.7 建筑智能化系统工程的公共安全系统应包括火灾自动报警系统、安全技术防范系统和应急响应系统。

安全技术防范系统宜包括:入侵报警系统、视频安防监控系统、出入口控制系统、电子巡查系统、访客对讲系统、停车库(场)管理系统,各系统在智能化系统工程中分别具有的应用意义解析如下:

(1)入侵报警系统:应用传感技术和电子信息技术探测并指示非法进入或试图非法进入设防区域的行为、处理报警信息、发出报警信息的电子系统。

(2)视频安防监控系统:应用视频探测技术监视设防区域并实时显示、记录现场图像的电子系统。

(3)出入口控制系统:应用自定义符识别或/和模式识别技术对出入口目标进行识别并控制出入口执行机构启闭的电子系统。

(4)电子巡查系统:对保安巡查人员的巡查路线、方式及过程进行管理和控制的电子系统。

(5)访客对讲系统:应用网络实现建筑内用户与外部来访者间互为通话和互为可视功能的电子系统。

(6)停车库(场)管理系统:对车库(场)的车辆通行道口实施出入控制、监视、行车信号指示、停车计费及汽车防盗报警等综合管理的电子系统。

3 工 程 架 构

3.1 一 般 规 定

3.1.1 工程架构设计是智能化系统工程设计的基础工作环节,本标准对智能化系统功能架构的设计等级、架构规划、系统配置分别提出了规定,突现智能化系统工程的整体性、系统性、结构性、基础性等技术特征。

3.1.2 因建筑的类别、地域、业务、运营、投资等均有差异,因此,为满足本标准使用者在工程设计中适应不同建筑智能化工程设计的需要,并且在实施本标准时更具有可指导性,本标准分别按照建筑整体设计等级的划分方式,对各同功能类别建筑物,从智能化系统配置的综合技术功效,分别以不同选配组合方式列在各项建筑类别的系统配置表中。本标准为使用者提供了智能化系统工程设计等级定位的比照依据。

3.1.3 智能化系统工程之核心,是在建筑环境中,调配以各类业务应用和各类建筑设施运营及管理等为功能承载对象,以作共性规律运动的智能化信息流按网络化路径传递的应用过程,是体现建筑智能工程中完善内在信息关联的系统工程整体化架构造搭建,该体系架构应由基础设施条件、信息采集及关联、专业业务和运营及管理模式等智能化设施构成。本标准中规定的智能化系统工程整体架构规划的若干要点,是基于建筑本体物理组态的状况和实施运营及管理模式的功能目标,以及确立以提升建筑物智能功效以信息传导为导向的系统工程重要基础内涵。智能化系统工程整体架构的规划应以此为技术主线而渐进展开。

· 114 ·

3.2 设 计 等 级

智能化系统工程设计等级的确立应成为智能化系统工程建设目标合理技术标准定位的基础依据之一,是智能化系统工程设计的首要技术要点之一。在工程建设中,为克服设计者常出现偏向较高设计等级靠的倾向,本标准从设计等级的确立、设计等级的划分、各等级的系统配置界定等规定,具体明确了各类建筑应分别对应于各单项建筑设计规范(其中包括国家现行标准《住宅设计规范》GB 50096、《办公建筑设计规范》JGJ 67、《旅馆建筑设计规范》JGJ 62、《图书馆建筑设计规范》JGJ 38、《档案馆建筑设计规范》JGJ 25、《文化馆建筑设计规范》JGJ 41、《博物馆建筑设计规范》JGJ 66、《剧场建筑设计规范》JGJ 57、《电影院建筑设计规范》JGJ 58、《展览建筑设计规范》JGJ 218、《交通建筑电气设计规范》JGJ 243、《综合医院建筑设计规范》JGJ 49、《疗养院建筑设计规范》JGJ 40、《体育建筑设计规范》JGJ 31、《商店建筑设计规范》JGJ 48等)中对各类建筑物整体分类和设计等级设档的规定,智能化系统工程设计标准需以智能化系统合成配置的综合功效划分等级,设计等级需与各业务领域对建筑的应用功能、运营及管理模式相适应,因此,本标准要求使用者应全面理解和领会本标准的技术内涵,在智能建筑设计中有效地把握工程整体建设目标,合理地确立智能化系统工程的设计的技术等级定位。

3.3 架 构 规 划

3.3.1 智能化系统工程的架构规划应成为开展建筑智能化系统工程整体技术行为的顶层设计。智能建筑建设已经进入了信息化体系的发展时期,智能化系统工程正在形成网络化、服务化、配套化的发展形态,并逐步向泛在化、协同化的智能功效方向演进,由此,应把握信息化体系建设的基本规律,以科学的顶层设计方式,梳理建筑智能化系统工程信息化体系的理论与实

115

践等系列问题。

建筑智能化系统工程的顶层设计,是以建筑的应用功能为起点,"由顶向下"并基于建筑物理形态和信息交互主线融合的整体设计,不仅是工程建设的系统化技术过程的依据,从而更清晰表达了基于工程建设目标的正向逻辑程序,而且是工程建设意图和项目实施之间的"基础蓝图"。因此,本标准中对智能化系统工程架构规划,系统地提出了属智能化系统工程建设顶层设计范畴的系统工程架构原则、系统工程设施架构形式、系统工程优化配置组合等具体要求,对实施本标准具有指导意义。

3.3.2 以建筑(单体或综合体)整体为对象,对智能化信息传递系统的全过程完整分析,适用于对智能化系统工程信息链路和过程的描述,从而引出建筑具有整体性和物类化的智能概念,是对建筑进行信息化管理和对各类基础信息使用能力和利用状况的综合性体现,该过程涵盖了智能化信息的采集和汇聚、分析和处理、交换和共享。智能化系统工程应基于应用目标的智能信息传递神经网络,并作为信息设施重要配置之一的信息通信网络系统,因此,应适应信息资源网络化集成之云计算方式需求趋向,有效地实现智能建筑的信息协同工作和信息资源共享,提升为建筑综合信息集成提供完善的数据信息资源共享的环境,从而实现建筑智能化信息—体化集成功能和提高建筑全局事件的监控和处理能力,以达到具有科学、综合、全面的智能化应用功效。

智能化系统工程的架构规划分项应按设施架构整体层次化的结构形式,分别以基础设施、信息服务设施及信息化应用设施为设施分项展开。与基础设施层相对应,基础设施为公共环境设施和机房设施;与信息服务层相对应,信息服务设施为应用信息服务设施的信息应用支撑设施部分;与信息化应用设施层相对应,信息化应用设施为应用信息服务设施的应用设施部分。

智能化系统工程设施架构图见图1。

· 116 ·

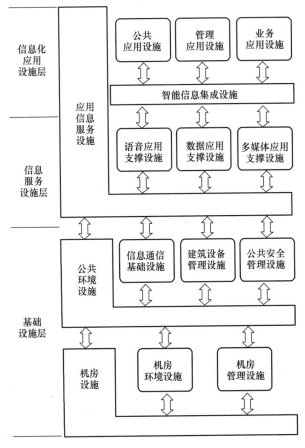

图 1 工程设施架构图

3.4 系统配置

智能化系统工程的系统配置应以设计等级和架构规划为依据,形成以智能化系统工程应用为工程设计主导目标的各智能化系统的分项配置及整体构建的方式,并展现智能化系统工程从基础条件系统开始,"由底向上"的信息服务及信息化应用功能系统由前至后的逐渐完全的建设过程。

与信息设施架构相对应,智能化系统工程系统配置分项宜分别以信息化应用系统、智能化集成系统、信息设施系统、建筑设备管理系统、公共安全系统、机房工程为系统技术专业划分方式和设施建设模式进行展开,并作为后续设计要素分别作出技术要求的规定,智能化系统工程系统配置分项为:

(1)信息化应用系统,系统配置分项宜包括公共服务系统、智能卡系统、物业管理系统、信息设施运行管理系统、信息安全管理系统、通用业务系统、专业业务系统、满足相关应用功能的其他信息化应用系统等;

(2)智能化集成系统,系统配置分项宜包括智能化信息集成(平台)系统、集成信息应用系统;

(3)信息设施系统,系统配置分项宜包括信息接入系统、布线系统、移动通信室内信号覆盖系统、卫星通信系统、用户电话交换系统、无线对讲系统、信息网络系统、有线电视系统、卫星电视接收系统、公共广播系统、会议系统、信息导引及发布系统、时钟系统、满足需要的其他信息设施系统等;

(4)建筑设备管理系统,系统配置分项宜包括建筑设备监控系统、建筑能效监管系统等;

(5)公共安全系统,系统配置分项宜包括火灾自动报警系统、入侵报警系统、视频安防监控系统、出入口控制系统、电子巡查系统、访客对讲系统、停车库(场)管理系统、安全防范综合管理(平台)、应急响应系统、其他特殊要求的技术防范系统等;

(6)机房工程,智能化系统机房工程配置分项宜包括信息接入机房、有线电视前端机房、信息设施系统总配线机房、智能化总控室、信息网络机房、用户电话交换机房、消防控制室、安防监控中心、应急响应中心和智能化设备间(弱电间)、其他所需的智能化设备机房等。

与信息设施架构相对应,智能化系统工程的系统配置分项展开详见表1。

· 118 ·

表1　智能化系统工程配置分项展开表

信息化应用设施	应用信息服务设施	公共应用设施	信息化应用系统	公共服务系统
				智能卡应用系统
		管理应用设施		物业管理系统
				信息设施运行管理系统
				信息安全管理系统
		业务应用设施		通用业务系统
				专业业务系统
		智能信息集成设施	智能化集成系统	智能化信息集成（平台）系统
				集成信息应用系统
信息服务设施		语音应用支撑设施	信息设施系统	用户电话交换系统
				无线对讲系统
		数据应用支撑设施		信息网络系统
		多媒体应用支撑设施		有线电视系统
				卫星电视接收系统
				公共广播系统
				会议系统
				信息导引及发布系统
				时钟系统
基础设施	公共环境设施	信息通信基础设施		信息接入系统
				布线系统
				移动通信室内信号覆盖系统
				卫星通信系统
		建筑设备管理系统	建筑设备管理系统	建筑设备监控系统
				建筑能效监管系统

· 119 ·

续表 1

基础设施	公共环境设施	公共安全管理设施	公共安全系统	火灾自动报警系统	
				安全技术防范系统	入侵报警系统
					视频安防监控系统
					出入口控制系统
					电子巡查系统
					访客对讲系统
					停车库(场)管理系统
				安全防范综合管理(平台)系统	
				应急响应系统	
	机房设施	机房环境设施	机房工程	信息接入机房	
				有线电视前端机房	
				信息设施系统总配线机房	
				智能化总控室	
				信息网络机房	
				用户电话交换机房	
				消防监控室	
				安防监控中心	
				智能化设备间(弱电间)	
				应急响应中心	
		机房管理设施		机房安全系统	
				机房综合管理系统	

智能化系统工程的设计标准,按建筑类别和以智能化系统配置的综合技术功效对各类建筑系统配置的选项予以区分的规定,因此,在本标准第 5 章～第 18 章中,按建筑功能类别列出了智能

化系统配置表,为智能化系统工程设计提供了系统配置的比照依据,其中业务应用各分项系统在现行各类专项建筑电气设计规范或相关行业及业务管理中已有规定,均作为本标准执行的依据。

4 设 计 要 素

4.1 一 般 规 定

4.1.2 本标准完整地罗列了进行智能化系统工程设计中具有统一性、通用性、规范性、基础性的若干设计要素,适用于各类别功能建筑或多功能类别组合的综合体建筑的智能化系统工程设计需求,可作为使用者在进行具体工程设计时的基础性依据。

4.2 信息化应用系统

4.2.1 信息化应用系统应成为满足智能化系统工程应用需求及工程建设的主导目标。建立以实现信息化应用为有型导向的建筑智能化系统工程设计程序,能有效杜绝工程建设的盲目性和提升智能化功效的客观性,也具体地体现了工程实施后应交付或展示应达到的应用印证成果。

4.2.2 基于目前信息化应用系统的状况,本标准罗列了较普及并具有通用意义的若干信息化应用系统,随着信息科技的不断发展和信息化应用的持续挖掘的深入,将会研发和涌现出更多且日益完善的信息化新功能应用系统并被人们认识和采用,为人们开创出智能化系统工程更为优良的功能前景。

4.2.4 采用生物识别技术,是满足智能卡应用系统不同安全等级应用模式的主要技术方式之一,生物识别技术主要类型为指纹识别、掌纹识别、人脸识别、手指静脉识别等,均由于其特有的高仿伪特性已被高安全等级应用采纳。

4.2.6 为满足对建筑信息设施的规范化高效管理,信息设施运行管理系统应包括信息基础设施层、系统运行服务层、应用管理层及系统整体标准规范体系和安全保障体系等。

（1）设施层，是由基础硬件支撑平台（网络、服务器、存储备份等）和基础软件支撑平台（操作系统、中间件、数据库等）信息设施组成；

（2）服务层，是由信息设施运行综合分析数据库和若干相应的系统运行支撑服务模块组成：

①信息设施运行综合分析数据库涵盖应用系统信息点标识、交换机配置与端口信息、服务器配置运行信息和操作系统、中间件、数据库应用状态等配置信息及相互通讯状态信息；

②系统运行支撑服务模块宜包括资源配置、预警定位、系统巡检、风险控制、事态管理、统计分析、角色管理、权限验证等其他应用服务程序，为设施维护管理、系统运行管理及主管协调管理人员提供快速的信息系统运行监管的操作，对信息化基础设施中软、硬件资源的关键参数进行实时监测，监测包括网络链路、网络设备、服务器主机、存储备份设备、安全监控设备、操作系统、中间件、数据库系统、WWW服务、各类应用服务等。当出现故障或故障隐患时，通过语音、数字通信等方式及时通知相关运行维护人员，并且可以根据预先设置程序对故障进行迅速定位及原因分析、建议解决办法。

（3）应用层，是由设施维护管理、系统运行管理及主管协调管理人员，通过职能分工、权限分配规定等，提供系统面向业务的全面保障。

（4）系统整体标准规范和服务保障体系宜包括标准规范体系、安全管理体系：

①标准规范体系，是整个系统建设的技术依据，遵循国家相关技术标准及规范（ITIL），形成一套完整、统一的标准规范体系；

②安全管理体系，是整个系统建设的重要支柱，贯穿于整个体系架构各层的建设过程中。

该系统是支撑各类信息设施应用的有效保障，随着信息化应用功能的不断为人们所利用及对智能化系统运行安全性的强烈依赖，应实施对建筑信息设施的信息化高效管理。该系统所起到的支撑各类信息化系统应用的有效保障作用，将在更广泛的推行中被采用。

信息设施运行管理系统架构图见图 2。在工程设计中宜根据项目实际状况采用合理的架构形式和配置相应的应用程序及应用软件模块。

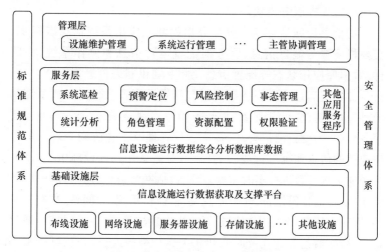

图 2　信息设施运行管理系统架构

4.2.7　根据公安部《信息安全等级保护管理办法》(公通字〔2007〕43 号)的要求,信息系统的安全保护等级分为下列五级:

第一级,信息系统受到破坏后,会对公民、法人和其他组织的合法权益造成损害,但不损害国家安全、社会秩序和公共利益。

第二级,信息系统受到破坏后,会对公民、法人和其他组织的合法权益产生严重损害,或者对社会秩序和公共利益造成损害,但不损害国家安全。

第三级,信息系统受到破坏后,会对社会秩序和公共利益造成严重损害,或者对国家安全造成损害。

第四级,信息系统受到破坏后,会对社会秩序和公共利益造成特别严重损害,或者对国家安全造成严重损害。

第五级,信息系统受到破坏后,会对国家安全造成特别严重损害。

在智能建筑的信息系统建设过程中,需按国家现行标准《计算机信息系统安全保护等级划分准则》GB 17859、《信息安全技术 信息系统安全等级保护基本要求》GB/T 22239、《信息安全技术 信息系统通用安全技术要求》GB/T 20271、《信息安全技术 网络基础安全技术要求》GB/T 20270、《信息安全技术 操作系统安全技术要求》GB/T 20272、《信息安全技术 数据库管理系统安全技术要求》GB/T 20273、《信息安全技术 服务器技术要求》GB/T 21028和《信息安全技术 终端计算机系统安全等级技术要求》GA/T 671等同步建设符合等级要求的信息安全设施。

4.2.8 通用业务系统是以符合该类建筑主体业务通用运行功能的应用系统,它运行在信息网络上,实现各类基本业务处理办公方式的信息化,具有存储信息、交换信息、加工信息及形成基于信息的科学决策条件等基本功能,并显现该类建筑物普遍具备基础运行条件的功能特征,它通常是以满足该类建筑物整体通用性业务条件状况功能的基本业务办公系统。

4.2.9 专业业务系统以该类建筑通用业务应用系统为基础(基本业务办公系统),实现该建筑物的专业业务的运营、服务和符合相关业务管理规定的设计标准等级,叠加配置若干支撑专业业务功能的应用系统。它通常是以各种类信息设备、操作程序和相关应用设施等组合具有特定功能的应用系统。其系统配置应符合相关的规范、管理的规定或满足相关应用的需要。

4.3 智能化集成系统

4.3.1 智能化集成系统应成为建筑智能化系统工程展现智能化信息合成应用和具有优化综合功效的支撑设施。智能化集成系统功能的要求应以绿色建筑目标及建筑物自身使用功能为依据,满足建筑业务需求与实现智能化综合服务平台应用功效,确保信息资源共享和优化管理及实施综合管理功能等。本标准明确了对智能化集成系统清晰和具体的内涵要求。

125

4.3.2 关于智能化集成系统架构要求,应以满足第4.3.1条的要求为基础,采用合理的系统架构形式和配置相应的平台应用程序及应用软件模块,实现智能化系统信息集成平台和信息化应用程序运行的建设目标,智能化集成系统架构从以下展开:

(1)集成系统平台,包括设施层、通信层、支撑层:

①设施层:包括各纳入集成管理的智能系统设施及相应运行程序等;

②通信层:包括采取标准化、非标准化、专用协议的数据库接口,用于与基础设施或集成系统的数据通信;

③支撑层:提供应用支撑框架和底层通用服务,包括:数据管理基础设施(实时数据库、历史数据库、资产数据库)、数据服务(统一资源管理服务、访问控制服务、应用服务)、基础应用服务(数据访问服务、报警事件服务、信息访问门户服务等)、基础应用(集成开发工具、数据分析和展现等)。

(2)集成信息应用系统,包括应用层、用户层:

①应用层:是以应用支撑平台和基础应用构件为基础,向最终用户提供通用业务处理功能的基础应用系统,包括信息集中监视、事件处理、控制策略、数据集中存储、图表查询分析、权限验证、统一管理等。管理模块具有通用性、标准化的统一监测、存储、统计、分析及优化等应用功能,例如:电子地图(可按系统类型、地理空间细分)、报警管理、事件管理、联动管理、信息管理、安全管理、短信报警管理、系统资源管理等。

②用户层:以应用支撑平台和通用业务应用构件为基础,具有满足建筑主体业务专业需求功能及符合规范化运营及管理应用功能,一般包括:综合管理、公共服务、应急管理、设备管理、物业管理、运维管理、能源管理等,例如:面向公共安全的安防综合管理系统、面向运维的设备管理系统、面向办公服务的信息发布系统、决策分析系统等,面向企业经营的ERP业务监管系统等。

(3)系统整体标准规范和服务保障体系,包括标准规范体系、安全管理体系：

①标准规范体系，是整个系统建设的技术依据；

②安全管理体系，是整个系统建设的重要支柱，贯穿于整个体系架构各层的建设过程中，该体系包含权限、应用、数据、设备、网络、环境和制度等。运维管理系统包含组织/人员、流程、制度和工具平台等层面的内容。

智能化集成系统架构图见图 3。在工程设计中宜根据项目实际状况采用合理的架构形式和配置相应的应用程序及应用软件模块。

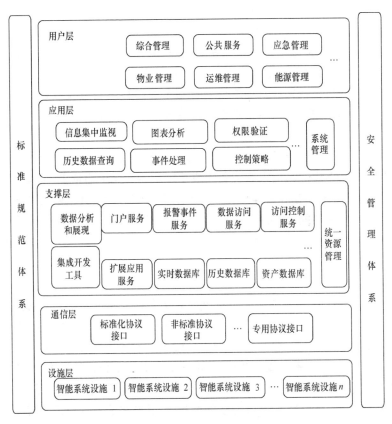

图 3 智能化集成系统架构图

4.3.3 关于智能化集成系统通信互联的要求,应以满足第 4.3.2 条的要求为基础,确保纳入集成的多种类智能化系统按集成确定的内容和接口类型提供标准化和准确的数据通信接口,实现智能化系统信息集成平台和信息化应用的整体建设目标。通信接口程序可包括实时监控数据接口、数据库互联数据接口、视频图像数据接口等类别,实时监控数据接口应支持 RS232/485、TCP/IP、API 等通信形式,支持 BACNet、OPC、Modbus、SNMP 等国际通用通信协议,数据库互联数据接口应支持 ODBC、API 等通信形式;视频图像数据接口应支持 API、控件等通信形式,支持 HAS、RTSP/RTP、HLS 等流媒体协议。当采用专用接口协议时,接口界面的各项技术指标均应符合相关要求,由智能化集成系统进行接口协议转换以实现统一集成。通信内容应满足智能化集成系统的业务管理需求,包括实施对建筑设备各项重要运行参数以及故障报警的监视和相应控制,对信息系统定时数据汇集和积累,对视频系统实时监视和控制与录像回放等。

4.3.4 关于智能化集成系统的架构规划、信息集成、数据分析和功能展示方式等,应以智能化集成系统功能的要求为依据,以智能化集成系统构建和智能化集成系统接口的要求为基础,确定技术架构、应用功能和性能指标规定,实现智能化系统信息集成平台和信息化应用程序的具体目标。

4.4 信息设施系统

4.4.1 信息设施系统应为建筑智能化系统工程提供信息资源整合,并应具有综合服务功能的基础支撑设施。依据现有信息设施的技术状况,本标准对建筑内的各类信息化应用功能需要的信息设施所涵盖的系统做了罗列,并以智能化系统工程设计标准、架构规划、系统配置为依据,分别从信息通信基础设施(信息接入系统、布线系统、移动通信室内信号覆盖系统、卫星通信系统)、语音应用支撑设施(用户电话交换系统、无线对讲系统)、数据应用支撑设施

· 128 ·

（信息网络系统）、多媒体应用支撑设施（有线电视及卫星电视接收系统、公共广播系统、会议系统、信息导引及发布系统、时钟系统）等，对各系统提出满足建筑智能化系统工程设计所需的要求。各系统应适应数字技术发展及网络化传输的必然趋向，推行以信息网络融合及资源集聚共享的方式作全局性统一性规划和系统建设。

在本标准第5章～第18章的各类建筑智能化系统配置表中的信息设施系统，均按照信息接入系统、布线系统、移动通信室内信号覆盖系统、卫星通信系统、用户电话交换系统、无线对讲系统、信息网络系统、有线电视及卫星电视接收系统、公共广播系统、会议系统、信息导引及发布系统、时钟系统、满足需要的其他信息设施系统的排序方式进行展开。

4.4.3 物联网以信息的统一、网络的融合、资源的共享、应用的互通以及终端的互兼等方式，实现相关的信息服务融合在一起。信息接入系统是外部信息引入建筑物及建筑内的信息融入建筑外部更大信息环境的前端结合环节，本标准对信息接入系统满足信息通信的功能及采用有线和无线的接入方式等提出了要求，同时规定应以建筑物（或群体建筑）作为基础物理单元载体，并应具有对接智慧城市信息架构的技术条件，并适应发挥信息资源更大化功效的云计算方式等，这是符合现代智能技术应用发展的趋向要求。

4.4.4 综合布线系统宜配置相应的管理系统。

4.4.8 无线对讲系统应防止信号泄露和防范外界信号干扰。

4.4.9 本条说明如下：

1 信息网络系统是遍及于智能建筑自身体内传递各类智能化信息的神经系统，本标准对该系统设计提出了为实现智能化系统工程新的应用功能，应适应智能化技术数字化发展和网络化传输趋向的要求，并需对建筑内各智能化系统信息传输作各信息类别的功能性区分、信息承载负载量的分析、符合应用合理构建形式的优化等综合处理的规定，同时，宜注重对各类智能化系统网络作融合的统一性规划等。

2 智能化系统工程的信息网络系统，根据承载业务的需要一般划分为业务信息网和智能化设施信息网，其中智能化设施信息网用于承载公共广播、信息引导及发布、视频安防监控、出入口控制、建筑设备监控等智能化系统设施信息，该信息网可采用单独组网或统一组网的系统架构，并根据各系统的业务流量状况等，通过 VLAN、QoS 等保障策略提供可靠、实时和安全的传输承载服务。

信息网络系统应包括物理线缆层、链路交换层、网络交换层、安全及安全管理系统、运行维护管理系统五个部分的设计及其部署实施。系统应支持建筑内语音、数据、图像等多种类信息的端到端传输，并确保安全管理、服务质量（QoS）管理、系统的运行维护管理等。

各类建筑或综合体建筑，核心设备应设置在中心机房；汇聚和接入设备宜设置在弱电（电信）间，核心、汇聚（若有）、接入等设备之间宜采用光纤布线。终端设备可以采用有线、无线或混合方式连接。

信息网络系统外联到其他系统，出口位置宜采用具有安全防护功能和路由功能的设备。系统网络拓扑架构应满足各类别建筑使用功能的构成状况、业务需求特征及信息传输要求。系统中的 IP 相关设备应同时支持 IPv4 和 IPv6 协议。系统中的 IP 相关设备应支持通过标准协议将自身的各种运行信息传送到信息设施管理系统。系统参考模型见图 4。

3～6 各类业务信息网涉及等级保护的要求，设计时需根据系统应用的等级规定，严格遵照现行国家标准《信息安全技术 信息系统安全等级保护基本要求》GB/T 22239 相应等级的网络安全要求。

7 现代建筑的业务运行、运营及管理等与信息化管理核心设施的安全密切相关，如运行信息不能及时流通，或者被篡改、增删、

·130·

破坏或窃用等造成的信息丢失、通信中断、业务瘫痪等,将会带来无法弥补的业务重大危害和巨大的经济损失等。而对于政府、金融等建筑,当今业务运行与信息化设施的不可分割的依赖性而愈加显现,因此,加强网络安全建设的意义甚至关系到政府办公职能的信息安全、国家和人民的金融秩序等,对此应高度重视及严格管理。由此,在进行建筑智能化系统与建筑物外部城市信息网互联时,必须设置防御屏障,确保信息设施系统安全、稳定和可靠。

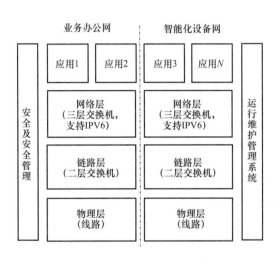

图4 信息网络系统模型图

9 系统应支持通过标准协议将自身运行信息纳入信息设施运行管理系统。

4.4.11 公共广播系统已成为各类建筑应用信息服务设施建设的基本配置,系统提高技术性能的相关功能包括:分区播放、分区语音寻呼、分区及全区紧急广播、消防信号联动、多级音源优先级设定的功能,还包括:系统功放热备份、开放通信协议、网络化音频信号和控制信号的传输、音频网络化传输及控制、图形化操作界面、集中控制与分散控制相兼容、分区音频信号处理、可编程多音源播放列表,还可包括:多路分区并行总线能力、远程监控、时钟协议同步、自动生成日志文件、环境噪声监测及自动音量补偿、中心音源与本地音源可路由调配、设备故障报警等功能。

消防应急广播是紧急广播中的一种形式。

4.4.12 会议系统的功能包括:音频扩声、会议讨论、视频显示等,还包括会议表决、摄像跟踪、集中控制、电子白板、视频会议、灯光辅助等,还可包括会议录播、同声传译、会议签到等功能。

4.4.13 信息导引及发布系统设计应符合现行国家标准《视频显示系统工程技术规范》GB 50464 的有关规定。

4.5 建筑设备管理系统

4.5.1 建筑设备管理系统是确保建筑设备运行稳定、安全及满足物业管理的需求,实现对建筑设备运行优化管理及提升建筑用能功效,并且达到绿色建筑的建设目标。系统应成为建筑智能化系统工程营造建筑物运营条件的基础保障设施。本标准所指建筑设备均与建筑智能化系统相关,包括采取信息技术方式实现管理的纳入信息化应用范围的业务设施。任何不纳入建筑设备监控范围的建筑设备或不归入信息化业务的设备或装置,均不属于本标准建筑设备规定范畴的对象。

4.5.3 建筑内的冷热源、供暖通风和空气调节、给水排水、供配电、照明、电梯等建筑设备以及可再生能源系统等其他建筑设备,当采用自成独立体系的专业化监控系统形式时,应以标准化通信方式纳入建筑设备管理系统。

4.5.4 建筑能效监管系统设计应符合现行行业标准《公共建筑能耗远程监测系统技术规程》JGJ/T 285 的有关规定。

4.5.5 建筑设备管理系统实现建筑绿色环境综合功效的若干要点说明如下:

(1)基于建筑设备监控系统的信息平台,实现对建筑进行综合能效监管,提升建筑设备系统协调运行和优化建筑综合性能,为实现绿色建筑提供辅助保障。

（2）基于建筑内测控信息网络等基础设施，对建筑设备系统运行信息进行积累，并基于对历史数据规律及趋势进行分析，使设备系统在优化的管理策略下运行，以形成在更优良品质的信息化环境测控体系调控下，具有获取、处理、再生等运用建筑内外环境信息的综合智能，建立绿色建筑高效、便利和安全的功能条件。

（3）通过对能耗系统分项计量及监测数据统计分析和研究，对系统能量负荷平衡进行优化核算及运行趋势预测，从而建立科学有效的节能运行模式与优化策略方案，为达到绿色建筑综合目标提供技术途径。

（4）通过对可再生能源利用的管理，为实现低碳经济下的绿色环保建筑提供有效支撑。

4.6 公共安全系统

4.6.1 公共安全系统应成为确保智能化系统工程建立建筑物安全运营环境整体化、系统化、专项化的重要防护设施。

4.6.4 本条说明如下：

2 公共安全系统应以建筑内平面布局区域面、安全管理层次化、防范方式合成，构造立体化等体系化主动安防监管策略，对报警信息、视频图像、控制反馈等各类公共安全环境状态基础信息的获取，宜采用多种感应技术互为合成的技术方式或智能型集成装置，突现与相关安全技术防范设施信息互为关联的综合技术防范功效。系统应具有形成与建筑物自身物理防范整合为一体化的安全技术防范保障。

3 安全技术防范系统所包括的入侵报警系统、视频安防监控系统、出入口控制系统、电子巡查系统、访客对讲系统、停车库（场）管理系统及各类建筑安全管理所需的其他特殊要求的安全技术防范系统等，构成具有安全技术防范整体功效的设施系统，应适应各分项系统数字化技术的发展趋向，宜采用网络化信息采集、平台化

133

信息汇聚、数字化信息存储及实施专业程序化综合监管的整体解决方案。

4 安全防范综合管理系统应以安防信息集约化监管为集成平台,对各种类技术防范设施及不同形式的安全基础信息互为主动关联共享,实现信息资源价值的深度挖掘应用,以实施公共安全防范整体化、系统化的技术防范系列化策略。

4.6.5 应急响应系统应成为公共建筑、综合体建筑、具有承担地域性安全管理职能的各类管理机构有效地应对各种安全突发事件的综合防范保障。应急响应中心是应急指挥体系处置公共安全事件的核心,在处置公共安全应急事件时,应急响应中心的机房设施需向在指挥场所内参与指挥的指挥者与专家提供多种方式的通信与信息服务,监测并分析预测事件进展,为决策提供依据和支持。按照国家有关规划,应急响应指挥系统节点将拓展至县级行政系统,建立必要的移动应急指挥平台,以实现对各级各类突发公共事件应急管理的统一协调指挥,实现公共安全应急数据及时准确、信息资源共享、指挥决策高效。同时,随着信息化建设的不断推进,公共安全事件应急响应指挥系统作为重要的公共安全业务应用系统,将在与各地区域信息平台互联,实现与上一级信息系统、监督信息系统、人防信息系统的互联互通和信息共享等方面发挥重要的作用。因此,应急响应系统是对消防、安防等建筑智能化系统基础信息关联、资源整合共享、功能互动合成,形成更有效的提升各类建筑安全防范功效和强化系统化安全管理的技术方式之一,已被具有高安全性环境要求和实施高标准运营及管理模式的智能建筑中采用。

以统一的指挥方式和采用专业化预案(丰富的相关数据资源支撑)的应急指挥系统,是目前在大中城市和大型公共建筑建设中需建立的项目,本标准列举了基本功能的系统配置,设计者宜根据工程项目的建筑类别、建设规模、使用性质及管理要求等实际情况,确定选择配置应急响应系统相关的功能及相应的辅助系统,以满足使用的需要。

4.6.6 本条与国家工程建设标准《安全防范工程技术规范》GB 50348—2004 中的强制性条文第 3.13.1 条相对应。

《安全防范工程技术规范》GB 50348—2004 第 3.13.1 条："监控中心应设置为禁区，应有保证自身安全的防护措施和进行内外联络的通讯手段，并应设置紧急报警装置和留有向上一级接处警中心报警的通信接口。"

由于总建筑面积大于 20000m² 的公共建筑，人员密集、社会影响面大、公共灾害受威胁突出；建筑高度超过 100m 的超高层建筑，在紧急状态下不便人流及时疏散，因此，为适应建筑物公共安全的实际需求现状和强化管理措施落实，有效防范威胁民生的恶性突发事件对人们生命财产造成重大危害和巨大经济损失，本条以第 4.6.5 条为基础提出规定：总建筑面积大于 20000m² 的公共建筑或建筑高度超过 100m 的建筑所设置的应急响应系统，必须配置与建筑物相应属地的上一级应急响应体系机构的信息互联通信接口，确保该建筑内所设置的应急响应系统实时、完整、准确地与上一级应急响应系统全局性可靠地对接，提升当危及建筑内人员生命遇到重大风险时及时预警发布和有序引导疏散的应急抵御能力，由此避免重大人员伤害或缓解危及生命祸害、减少经济损失，同时，使建筑物属地的与国家和地方应急指挥体系相配套的地震检测机构、防灾救灾指挥中心监测到的自然灾害、重大安全事故、公共卫生事件、社会安全事件、其他各类重大、突发事件的预报及预期警示信息，通过城市应急响应体系信息通信网络可靠地下达，起到启动处置预案更迅速的响应保障。

4.7　机　房　工　程

4.7.1 机房工程应成为智能化系统工程中向各类智能化系统设备及装置提供安全、可靠和高效地运行及便于维护的基础条件设施。本标准依据建筑智能化系统的应用状况，对在建筑物内各智

· 135 ·

能化系统的监控、管理室或设备装置机房提出所包括的具体范围，一般包括信息接入机房、有线电视前端机房、信息设施系统总配线机房、智能化总控室、信息网络机房、用户电话交换设备机房、消防控制室、安防监控中心、应急响应中心、智能化设备间（弱电间、电信间）等其他所需的智能化系统设备机房等。本标准提出该类机房设施可根据在工程中具体情况独立配置或组合配置，符合建筑智能化系统集约化建设和管理及建筑空间有效利用的原则。

智能化设备间（弱电间）是指建筑物内区域或楼层智能化设备安装间，智能化设备安装间内包括各智能化系统的分部设备或信息传输设备及缆线系统等。

机房工程设计包括建筑（包括室内装饰）、结构、机房通风和空调、配电、照明、接地、防静电、安全、机房综合管理系统等。

4.7.2 信息接入（含移动通信室内覆盖接入）机房宜设在建筑首层，当该建筑物有地下层时，可设在地下一层。卫星通信（包括卫星电视）天线等安装于建筑物顶部的接入机房，宜设在便于信息收发及信息缆线接入的合理部位。

4.7.3 机房工程主体结构的柱网布局等应综合规划设计，适应建筑平面布局和空间划分的灵活性要求。

4.7.4 现行国家标准《电子信息系统机房设计规范》GB 50174 对机房工程确定了设计等级的规定，机房工程的通风和空气调节系统设计均应满足相应设计等级的规定。

4.7.5 机房设备电源输入端防雷击电磁脉冲（LEMP）的保护宜采取智能型监控系统的保护技术方式。

4.7.6 紧急广播系统是建筑物中最基本的紧急疏散设施之一，是建筑物中各类安全信息指令发布和传播最直接、最广泛、最有效的重要技术方式之一。为了确保紧急广播系统在大规模、超高层的建筑中可靠运行，本条提出了强化安全性能的规定。对该类建筑与公共安全相配套的紧急广播系统（包括与火灾自动报警系统相配套的应急广播系统），要求其备用电源的连续供电时间必须与消防疏散指示标志照明备用电源的连续供电时间一致,有效地健全建筑公共安全系统的配套设施,提高建筑物自身抵御灾害的能力。

4.7.11 机房综合管理系统应作为机房工程设计中保障高技术性能的重要配置选项之一。其中符合机房运行技术等级的建设要求,是确立机房工程设计标准首要依据之一,是实现高功效能源条件、高性能环境质量、高可靠安全保障等机房基础设施而进行监控及管理策略展开的出发点,从而确保各类设施系统建设的安全性、可靠性和可维护性;其次是设定对机房整体运营及管理的目标,是衡量机房使用状况的重要依据,现行相关的技术规范均对机房运营和管理提出了具体要求,在机房工程设计中,应响应机房运营和管理的设定目标,采取相应的技术方式,其中包括合理机房的功能布局、优化的用能体系、实施有效的绿色环境能效监管方式等,确保使该机房综合性能指标符合相应的规定值。

本标准对机房综合管理系统提出架构要求,系统宜包括设施层、支撑层、服务层、应用层、用户层及系统整体标准规范体系和安全保障体系等。

设施层宜包括机房内的空调和配电等能源设施、照明设施(满足机房不间断可视性)和安全设施(技术防范和消防系统满足机房安全运行需求)等环境设施、IT 基础设施(IT 业务持续运营的包括服务器、网络设备、存储设备、机架和对外管理的相关信息关联设备)等。

支撑层宜采用标准化的现场总线等通信方式传输数据,应支持标准、非标准和专用通信协议,并具备基础数据的管理。

服务层宜包括平台服务、应用服务、事件处理和分发、配置服务、报表服务、权限验证和应用程序接口(API)。

应用层是建立于服务层基础之上,根据机房管理对象特征和应用场合可分为设施运行监控、环境设施综合管理和信息设施服务管理。设施运行管理宜包括配电系统、空调系统、照明系统和安全系统,对机房动力和环境基础设施进行远程实时数据监测和设备控制,实时监管各个设备和子系统的运行状态。环境质量综合管理宜包括资产管理、变更管理、能效管理、容量管理、供电管理、热管理、告警管理、远程访问等。

用户层是机房综合管理系统的显示和操作层,定义用户交互界面和系统应用程序接口,其终端用户通常包括 Web 用户、桌面用户、移动用户、云计算用户等。

机房综合管理系统架构图见图 5。在工程设计中宜根据工程项目的实际状况采用合理的系统架构形式和配置相应的平台应用程序及应用软件模块。

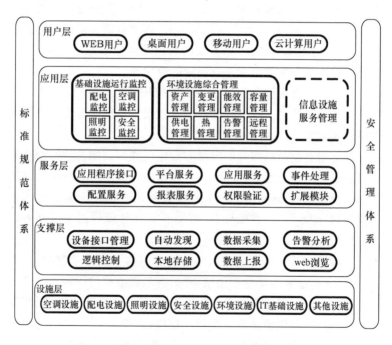

图 5　机房综合管理系统架构图

5 住 宅 建 筑

5.0.2 住宅建筑智能化系统配置除应符合本标准表5.0.2的规定外,还需要根据工程规模、建筑标准、配套设施、住户需求、维护管理条件等实际情况综合确定。现行行业标准《住宅建筑电气设计规范》JGJ 242对住宅建筑智能化系统的设计做出了明确规定,配置时也需要遵守。

5.0.5 现行国家标准《住宅区和住宅建筑内光纤到户通信设施工程设计规范》GB 50846对住宅光纤到户提出了明确的要求,新建住宅建筑的通信设施设计需遵照执行。采用光纤到户建设方式前提是,公用电信网络已经实现了光纤传输到所建住宅建筑的区县。每套住宅配置家居配线箱是确保电话、电视、信息网络等系统功能、规范住户内线路敷设的重要措施。住宅内配置的信息端口类别和数量需根据工程项目实际情况确定。

5.0.6 对于无线对讲系统的配置,本标准表5.0.2规定的是"宜配置",本条是对"宜配置"的前提条件进一步明确,即设有物业管理系统。

5.0.7 紧急广播(包括消防应急广播)需按消防应急广播的要求进行设置。

5.0.8 建筑设备管理系统通常监控公共照明系统、给排水系统。水表、电表、燃气表、热能(有供暖地区)表一般具有计量、抄收及远传功能,通常采用兼容通信接口与公用事业管理部门系统联网。

5.0.9 多栋超高层住宅建筑可根据实际工程情况,合建一个消防控制室。

·139·

6 办 公 建 筑

6.2 通用办公建筑

6.2.1 通用办公建筑智能化系统配置,除应符合表6.2.1的规定外,其中业务应用系统和其他各智能化系统配置尚应符合国家现行有关标准的规定。

6.3 行政办公建筑

6.3.1 行政办公建筑智能化系统配置,除应符合表6.3.1的规定外,其中业务应用系统和其他各智能化系统配置尚应符合国家现行有关标准的规定。

6.3.2 信息化应用系统应形成有效支撑各级行政机关办公业务所需的高效、快捷和完善的业务运行功能。

6.3.5 用户电话交换系统应根据办公建筑中各工作部门的管理职能和工作业务实际需求配置,并预留裕量。

6.3.6 各级行政机关中特殊信息网端口配置应符合国家对岗位业务职能及相关管理规定。涉及国家秘密的信息网络系统,应符合《涉及国家秘密的通信、办公自动化和计算机信息系统审批和暂行办法的通知》(中保办〔1998〕6号)的规定,并应严格按照现行各项报批程序及管理的规定执行。

7 旅 馆 建 筑

7.0.2 旅馆建筑智能化系统配置,除应符合表7.0.2的规定外,其中业务应用系统和其他智能化系统配置尚应符合国家现行有关标准的规定。

7.0.5 应在旅馆内总服务台、办公管理区域和会议区域处配置内线电话和直线电话,客房、客人电梯厅、商场、餐饮、机电设备机房等区域处宜配置内线电话,在底层大厅等公共场所部位应配置公用直线和内线电话及无障碍使用方式的电话。

8 文 化 建 筑

8.2 图 书 馆

8.2.1 图书馆智能化系统配置,除应符合表 8.2.1 的规定外,其中业务应用系统和其他各智能化系统配置尚应符合国家现行有关标准的规定。

图书馆智能化系统工程应根据图书馆建筑设计分类及建设标准,选配相关的智能化系统。按照现行行业标准《图书馆建筑设计规范》JGJ 38 的规定及设计标准,图书馆分为公共图书馆、高等学校图书馆、科学研究图书馆及各类专门图书馆。公共图书馆是指具备收藏、管理、流通等一整套使用空间和技术设备用房,面向社会大众服务的各级图书馆;高等学校图书馆是指为教学和科研服务,具有服务性和学术性强的大专院校和专科学校以及成人高等学校的图书馆;科研图书馆是指具有馆藏专业性强,信息敏感程度高,采用开架的管理方式和广泛使用计算机和网络技术等先进的服务手段的各类科学研究院、所的图书馆。专门图书馆是指专门收藏某一学科或某一类文献资料,为专业人员服务的图书馆。

8.2.5 建筑设备管理系统应满足对图书资料保存的需求,应具有对善本书库、珍藏书库、古籍书库、音像制品、光盘库房等场所温湿度及空气质量的监控功能。

8.3 档 案 馆

8.3.1 档案馆智能化系统配置,除应符合表 8.3.1 的规定外,其中业务应用系统和其他各智能化系统配置尚应符合国家现行有关标准的规定。

档案馆智能化系统工程应根据档案馆建筑设计分级及设计标

准,选配相关的智能化系统。按照现行行业标准《档案馆建筑设计规范》JGJ 25 的规定及设计标准,档案馆可分为特级、甲级、乙级。特级为中央级档案馆,甲级为省、自治区、直辖市、计划单列市、副省级市档案馆,乙级为地(市)及县(市)级档案馆。

8.4 文 化 馆

8.4.1 文化馆智能化系统配置,除应符合表 8.4.1 的规定外,其中业务应用系统和其他各智能化系统配置尚应符合国家现行有关标准的规定。

按照现行行业标准《文化馆建筑设计规范》JGJ 41 的规定及设计标准,文化馆建筑根据其建筑面积规模划分为大型馆、中型馆和小型馆 3 种类型。大型馆:建筑面积大于或等于 6000m² 的文化馆;中型馆:建筑面积大于或等于 4000m² 且小于 6000m² 的文化馆;小型馆:建筑面积大于或等于 800m² 且小于 4000m² 的文化馆。

8.4.5 安全技术防范系统应按文化馆客流大的特点进行配置,确保良好公共秩序及安全。

9 博物馆建筑

9.0.2 博物馆建筑智能化系统配置,除应符合表9.0.2的规定外,其中业务应用系统和其他各智能化系统配置尚应符合国家现行有关标准的规定。

博物馆智能化系统工程应根据博物馆建筑设计分类及设计标准,选配相关的智能化系统,按照现行国家标准《博物馆建筑设计规范》JGJ 66的规定及设计标准。博物馆建筑根据其建筑面积规模划分为大型馆、中型馆和小型馆三种类型。大型馆:建筑规模大于10000m²,适用于中央各部委直属博物馆和各省、自治区、直辖市博物馆;中型馆:建筑规模为4000m²～10000m²,适用于各系统的省厅(局)直属博物馆和省辖市(地)博物馆;小型馆:建筑规模小于4000m²,适用于各系统的市(地)、县(县级市)局直属博物馆和县(县级市)博物馆。

9.0.7 博物馆信息网络系统应满足考古人员在外作业期间,可通过有线或无线网络与博物馆取得联系,也可以通过虚拟专用网络获得博物馆信息库中的相关资料,同时通过信息网络系统将现场的资料和信息发送到博物馆。

9.0.11 建筑设备管理系统应对文物熏蒸、清洗、干燥等处理、文物修复等工作区的各种有害气体浓度实时监控,避免腐蚀性物质、CO_2、温度、湿度、风化、光照和灰尘等对文物的影响。应确保对展品的保护,减少照明系统各种光辐射的损害。

9.0.12 应符合现行国家标准《安全防范工程技术规范》GB 50348—2004第4.2节和《文物系统博物馆安全防范工程设计规范》GB/T 16571的有关规定。系统应按照博物馆的特点,将建筑内区域划分为库区、展厅、公众活动区和办公区。

10 观演建筑

10.2 剧 场

10.2.1 剧(影)智能化系统配置,除应符合表10.2.1的规定外,其中业务应用系统和其他各智能化系统配置尚应符合国家现行有关标准的规定。

按照现行行业标准《剧场建筑设计规范》JGJ 57的规定及设计标准,剧场可根据使用性质及观演条件、建筑规模、观众容量分为特大型、大型、中型和小型。特大型:1601座以上;大型:1201座~1600座;中型:801座~1200座;小型:300座~800座。

10.2.5 信息网络系统系统应在舞台、舞台监督、声控室、灯控室、放映室、资料室、各类技术用房、化妆间、票务室和售票处等处设置信息端口。

10.2.7 信息显示系统的终端宜设置在入口大堂、售票处和等候区。

10.2.9 建筑设备管理系统宜具有多种场景控制方式,包括就地控制、遥控、中央管理室的集中控制,根据光线的变化、现场模式需求及客流情况的自动控制等控制方式。

10.3 电 影 院

10.3.1 电影院的智能化系统配置,除应符合表10.3.1的规定外,其中业务应用系统和其他智能化系统配置还应符合国家现行有关标准的规定。

按照现行行业标准《电影院建筑设计规范》JGJ 58的规定及设计标准,电影院建筑根据其建筑面积规模划分为特大型、大型、中型和小型。特大型:总座位数应大于1800个,观众厅不宜少于

145

11 个;大型:总座位数宜为 1201 个～1800 个,观众厅宜为 8 个～10 个;中型:总座位数宜为 701 个～1200 个,观众厅宜为 5 个～7 个;小型:总座位数宜小于或等于 700 个,观众厅不宜少于 4 个。

10.4 广播电视业务建筑

10.4.1 广播电视业务建筑智能化系统配置,除应符合表 10.4.1 的规定外,其中业务应用系统和其他各智能化系统配置尚应符合国家现行有关标准的规定。

10.4.5 信息网络系统应在演播室、导控室、音控室、配音间、灯光控制室、立柜机房、主控机房、播出机房、制作机房、传输机房、录音棚、化妆室、资料室和微波机房等技术用房处设置信息端口。

10.4.6 有线电视系统的卫星电视节目应取自播出机房。有线电视系统应在演播室、导控室、音控室、配音间、主控机房、播出机房、制作机房、传输机房、录音棚、化妆室、资料室和候播区等技术用房处设置电视终端。

10.4.7 信息导引及发布系统信息显示终端宜设置在入口大堂、底层电梯厅、电梯转换层、候播区和参观通道。

11 会 展 建 筑

11.0.2 会展建筑智能化系统配置,除应符合表 11.0.2 的规定外,其中业务应用系统和其他各智能化系统配置尚应符合现行行业标准《会展建筑电气设计规范》JGJ 333 和国家现行有关标准的规定。

　　按照现行行业标准《展览建筑设计规范》JGJ 218 的规定及设计标准,展览建筑规模可按基地以内的总展览面积划分为特大型、大型、中型和小型。特大型馆:总展览面积大于 100000m²;大型馆:总展览面积 30000m² ～ 100000m²;中型馆:总展览面积 10000m²～30000m²;小型馆:总展览面积小于 10000m²。

11.0.11 在单一型火灾探测器不能有效探测火灾的场所,可采用复合型火灾探测器。

12 教育建筑

12.2 高等学校

12.2.1 高等学校智能化系统配置,除应符合表12.2.1的规定外,其中业务应用系统和其他各智能化系统配置尚应符合国家现行有关标准的规定。

12.2.3 学校教学楼、行政管理楼、图文信息中心、会议中心(厅)、体育场(馆)、学生宿舍、餐厅、校园休闲和流动人员较密集的公共区域等有关场所处,应配置与公用互联网或学校信息网络相联的宽带无线网络接入设备,应满足信息设备信号数字化传输质量和管理的要求,后勤物业管理系统宜运行在学校信息专用网络上。

12.2.5 在学校的餐厅、招待所等有关场所内,应配置独立的背景音乐设备,以满足各场所对背景音乐和公共广播的需求。

12.2.9 信息导引及发布系统用于远程视频会议的专用会议室内时,应配置远程电视会议接入、视频显示、音频扩声、控制等配套设备。

12.3 高级中学

12.3.1 高级中学智能化系统配置,除应符合表12.3.1的规定外,其中业务应用系统和其他各智能化系统配置尚应符合国家现行有关标准的规定。

12.3.3 学校教学及教学辅助用房、行政办公用房、图文信息中心、会议接待室、体育场(馆)和校园室内外休闲场所等处,宜配置与学校信息网络或公用互联网相联的宽带无线网络接入设备。

12.3.10 信息导引及发布系统端口宜设置在学校的大门口处、各教学楼、行政办公楼、图文信息中心、体育场(馆)、游泳馆、会议接待室、餐厅、教师或学生宿舍等单体建筑室内。

12.4 初级中学和小学

12.4.1 初级中学和小学智能化系统配置,除应符合表 12.4.1 的规定外,其中业务应用系统和其他各智能化系统配置尚应符合国家现行有关标准的规定。

12.4.9 信息导引及发布系统系统端口宜设置在学校的大门口处、各教学楼、行政办公楼、图书阅览室、室外操场、室内体育馆、游泳馆、餐厅、教师或学生宿舍等单体建筑室内。

13 金 融 建 筑

13.0.2 金融建筑智能化系统配置,除应符合表13.0.2的规定外,其中业务应用系统和其他各智能化系统配置尚应符合现行行业标准《金融建筑电气设计规范》JGJ 284和国家现行有关标准的规定。

14 交 通 建 筑

14.2 民用机场航站楼

14.2.1 民用机场航站楼智能化系统配置,除应符合表14.2.1的规定外,其中业务应用系统和其他各智能化系统配置尚应符合现行行业标准《交通建筑电气设计规范》JGL 243和国家现行有关标准的规定。

14.2.2 航班信息综合系统应完成季度航班计划、短期航班计划、次日航班计划。向需获得航班计划的系统发布送信息,应按时发布次日航班计划信息。及时修正日航班计划并即时发布修正信息。统计、存储、查询日航班计划数据并形成报表。具有机位桥/登机门分配、到达行李转盘分配、值机柜台分配与出发行李分检转盘分配功能。

值机大厅应设置能提供引导旅客值机的航班动态信息显示屏;值机柜台上方应设置能提供值机航班信息的显示屏;中转柜台应设置能提供中转航班动态信息的显示屏;登机口柜台上方应设置能提供登机航班信息的显示屏;候机大厅应设置能提供出发候机航班动态信息的显示屏;餐饮、商业区宜设置能提供进出港航班动态信息的显示屏;到达行李提取厅应设置能提供引导行李转盘航班动态信息的显示屏;行李转盘应设置能提供本转盘到达行李的航班信息显示屏;行李分拣大厅每条出发行李转盘上应设置能提供在本转盘出发的行李航班信息的显示屏;行李分拣大厅每条到达行李转盘上应设置能提供在本转盘到达的行李航班信息显示屏;到达接客大厅应设置能提供到达航班动态信息的显示屏;联检区域应设置信息公告显示屏等。

14.2.3 信息接入系统应符合现行行业标准《有线接入网设备安

151

装工程设计规范》YD/T 5139 的有关规定。

14.2.4 移动通信室内信号覆盖系统系统应满足室内移动通信用户利用蜂窝室内分布系统实现语音及数据通信的业务;系统宜采用合路的方式,将多家移动通信业务运营商和机场内集群通信等的频段信号纳入一套系统中;航站楼中应在海关、边防、公安、安全和行李分拣等场所设置无线集群通信系统。

14.2.5 布线系统应在航站楼内旅客活动区域安装公用电话、无障碍公用电话或语音求助终端。

14.2.6 用户电话交换系统应支持 ITU－T G.722 标准要求;终端音频(包括终端语音和中继语音)应满足宽带语音要求,音频带宽应达到 300Hz～10kHz;有线调度对讲系统应支持与广播系统的互联,实现本地的广播功能。

14.2.8 有线电视接收系统在候机厅、贵宾厅、公务机厅、办公室、值班室等处宜设置有线电视终端。

14.2.9 公共广播系统宜采用自动广播为主、本地广播为辅的设置原则,本地广播优先级应高于自动广播,且广播系统宜具备自由文本转换语音功能及存储转发功能。国内航班应采用普通话与英语两种语言播放信息。国际航班应采用三种语言以上(含三种语言)播放信息,宜采用普通话、英语和目的地国的语言播放信息。广播区域划分宜按最小本地广播区域划分。宜配置背景噪声监测设备。广播系统的功率放大器应按 N＋1 的方式进行热备用,且系统应具有功放自动检测倒换功能。

14.2.11 旅客的值机信息应传送至安检信息系统。旅客的交运行李信息应传送至行李控制系统。在候机大厅应能通过离港闸口登机牌阅读机对旅客登机牌进行登机确认;宜采取离港工作站调用安检信息系统的方式,在安检验证柜台对采集的旅客肖像信息进行旅客身份确认。在值机柜台离港终端和登机口柜台应能触发航班信息显示和广播。国内离港系统应具有本地备份离港信息的功能。离港系统宜支持网上值机和手机值机等新兴值机模式,并应支持二维条码的使用。系统应符合现行行业标准《民用航空运输机场安全检查信息管理系统技术规范》MH/T 7010 的规定。

14.2.13 建筑设备管理系统应结合航站楼内办票厅、候机厅、到达厅等不同区域的空间及空调特点,选择合适的控制技术。根据不同区域空调的送风形式及风量调节方式进行送风控制,同时要针对公共区域客流量变化大的特点,特别重视根据空气质量进行新回风比例控制,提高室内综合空气品质,体现人性化服务质量。

应根据建筑及相应公共服务区域的采光特点、室内照度、室内标识、广告照明进行监控。应能接收航班信息,并根据航班时间实现对相关场所的空调、照明等的控制。

应对行李传输系统的运行进行监测,对航班显示、时钟系统电源、安全检查系统电源、400Hz 机用电源、机用空调机电源、飞机引导系统电源状态等进行监测,对航站楼内各租用单元进行电能计量。

应对停机坪高杆照明灯进行监控;当设有单独机坪照明灯监控系统时,所有系统的监控信息应实时传入建筑设备监控系统。

应根据公共服务区域的采光特点、室内外照度及航班运行时间进行照明监控,对室内标识、广告照明进行监控;当设有单独照明管理系统时,可由照明管理系统实施。

14.2.14 安全技术防范应符合现行行业标准《民用航空运输机场安全保卫设施建设标准》MH/T 7003 的相关规定。

14.3 铁路客运站

14.3.1 铁路客运站智能化系统配置,除应符合表 14.3.1 的规定外,其中业务应用系统和其他各智能化系统配置尚应符合现行行业标准《交通建筑电气设计规范》JGL 243 和国家现行有关标准的规定。

· 153 ·

14.3.6 公共广播系统应满足铁路旅客车站客运广播的要求,并应满足紧急情况下紧急广播的功能需求。应与铁路客运作业需求相一致,在候车厅、进站大厅、站台、站前广场、行包房、出站厅、售票厅以及客运值班室等不同功能区进行系统分区划分。系统的语音合成设备应完成发车接客、旅客乘降及候车的全部客运技术作业广播。系统应具有接入旅客引导显示系统、列车到发通告系统等通告显示网的接口条件。

14.3.8 公共信息查询系统宜包括多媒体查询、电话问询和 Web 网站查询等。系统应在进站大厅、各候车厅、售票厅、各行包房等场所设置旅客查询终端,并应设置无障碍旅客查询终端。

14.3.10 旅客引导显示系统的显示屏应设于进站大厅、出站大厅、车站商场和餐厅等旅客集中活动场所。应具有动态信息显示的功能,应能显示列车发车、列车到达、客票票务及其他多媒体等信息。进站集中显示屏应明确显示列车车次、始发站、终到站、到发时刻、候车地点、列车停靠站台、晚点变更、检票状态等信息。候车厅显示屏应显示列车车次、开往站、到发时刻、列车停靠站台、晚点变更和检票状态等信息。检票口牌应显示列车车次、检票状态和发车时刻等信息。站台牌应显示列车车次、到发线路、到发时刻、开往地点和晚点变更等信息。出站台牌应显示列车车次、始发站、到发时刻、列车停靠站台和晚点变更等信息。天桥、廊道显示屏应显示列车车次和列车停靠站台等信息。

14.3.12 安全技术防范系统应结合铁路旅客车站管理的特点,采取各种有效的技术防范手段,满足铁路作业、旅客运转的安全机制的要求。铁路旅客车站的旅客主要进站口、行包托运厅等应设置探测设备。

14.4　城市轨道交通站

14.4.1 城市轨道交通站楼智能化系统配置,除应符合表 14.4.1 的规定外,其中业务应用系统和其他各智能化系统配置尚应符合现行行业标准《交通建筑电气设计规范》JGL 243 和国家现行有关标准的规定。

14.4.4 用户电话交换系统应满足车站（车辆段）值班员与本站（段）其他有关人员直接通话的要求。值班员可任意实现单呼、组呼和全呼方式。站内分机应能直接呼叫本站值班员。邻车站值班员间及车辆段值班员与相邻车站值班员间应能通过站间行车电话进行直接通话。站间电话应能直接呼叫上行或下行车站值班员，具有紧急呼叫及邻站呼入显示功能，不应出现占线或通道被其他用户占用等情况。隧道区间及道岔区段的有关作业人员应能通过轨旁电话与相邻站车站值班员通话，并可采用切换方式与公务电话用户通信。

车站的控制室应设置行车调度分机、防灾中心与设备监控调度分机，各变电所的主控制室和低压配电室应设置电力调度分机，警务室应设置公安调度分机。系统建设时宜配置有线调度对讲分系统，各车控室、旅客服务中心、值班员室、半自动售票机室、站长室、票据室、环控室、电控室及警务室等处，宜设调度对讲终端，并应在自动售票机旁设置旅客求助终端。中央级控制中心各调度员与各站值班员之间应能直接（无阻塞）通话。控制中心各调度员之间应能直接通话。

14.4.6 公共广播系统的车站广播控制台应对本站管区内进行选路广播，负荷区宜按站台层、站厅层、出入口和与行车直接有关的办公区域等进行划分，广播语言宜为中文和英语。

14.4.7 时钟系统应为各线、各车站提供统一的标准时间信息，并为其他各系统提供统一的基准时间。站厅层、站台层、车控室、环控室、电控室、站长室、警务室及其他与行车直接有关的办公室等处所应设置子钟；当站厅层、站台层等处设有乘客信息系统（PIS）系统显示终端时，子钟宜与 PIS 系统显示终端合并设置。

11.4.10 火灾自动报警系统应采取中央总站级和分车站级的二级监控方式，对公共轨道交通全线进行火灾探测和报警。

14.5 汽车客运站

14.5.1 汽车客运站楼智能化系统配置,除应符合表 14.5.1 的规定外,其中业务应用系统和其他各智能化系统配置尚应符合现行行业标准《交通建筑电气设计规范》JGL 243 和国家现行有关标准的规定。

按照《交通客运站建筑设计规范》JGJ/T 60—2012 的规定及设计标准,汽车客运站建筑等级可分为一级、二级、三级、四级,分别按发车位和年平均日旅客发送量(人次)划分。一级:20 车位~24 车位(10000 人次~25000 人次);二级:13 车位~19 车位(5000 人次~9999 人次);三级:7 车位~12 车位(1000 人次~4999 人次);四级:6 车位以下(1000 人次以下)。

14.5.3 旅客引导显示系统的进站集中显示牌应明确显示汽车车次、始发站、终到站、到发时刻、候车地点、汽车停靠站台、晚点变更、检票状态等信息。候车厅应显示汽车车次、开往站、到发时刻、汽车停靠站台、晚点变更和检票状态等信息。检票口牌应显示汽车车次、检票状态和发车时刻等信息。

应在客运站运行过程中需要汽车到发通告信息的场所配置接收终端或联网工作站。汽车到发通告系统应在广播室、客运值班室、售票室、客运计划室、检票口及其他必要的相关处所配置接收终端或联网工作站。汽车到发通告系统主机应预留与上一级车辆运行指挥信息系统联网的接口条件。检票终端应有脱网后独立工作的功能。

14.5.4 大型汽车客运站旅客公共场所宜设置多媒体自助查询系统,问询亭侧宜采用触摸屏式旅客自助查询机,且多媒体自助查询系统应接入公共信息查询网络。

15 医 疗 建 筑

15.2 综 合 医 院

15.2.1 综合性医院智能化系统配置,除应符合表 15.2.1 的规定外,其中业务应用系统和其他各智能化系统配置尚应符合国家现行有关标准的规定。

综合医院的技术等级,按一级至三级进行智能化系统配置的技术标准定位展开。基层医院,如街道和村镇级医院,因规模较小,可选择部分内容或适当降低配置标准。专科医院,如儿科、妇产科、胸科、骨科、眼科、耳鼻喉科、口腔科、皮肤科医院等,特殊病院;如传染病院、精神病院、结核病院、肿瘤医院等,均按规模参照同等级使用。

15.2.2 信息化应用系统包括医院信息系统(HIS)、临床信息系统(CIS)、医学影像系统(PACS)、放射信息系统(RIS)、远程医疗系统等医院其他信息化应用系统,因此,信息网络系统应具备高宽带、大容量和高速率,并具备适应将来扩容和带宽升级的条件。

15.2.8 有线电视系统应向需收看电视节目的病员、医护人员提供本地有线电视节目或医院自制电视节目,应能在部分患者收看时不影响其他患者的休息。

15.2.10 建筑设备管理系统宜根据医疗工艺要求配置,系统的监控功能包括:对氧气、笑气、氮气、压缩空气、真空吸引等医疗用气的使用进行监视和控制;对医院污水处理的各项指标进行监视,并对其工艺流程进行控制和管理;对有空气污染源的区域的通风系统进行监视和负压控制。

15.2.11 安全技术防范系统应符合医院建筑的业务特征及安全管理要求:

（1）入侵报警系统：

①宜在医院计算机机房、实验室、财务室、现金结算处、药库、医疗纠纷会议室、同位素室及同位素物料区、太平间等贵重物品存放处及其他重要场所配置手动报警按钮或其他入侵探测装置；

②报警装置应与视频探测摄像机和照明系统联动，在发生报警时同步进行图像记录。

（2）出入口控制系统：

①应根据医疗工艺对区域划分的要求，在行政办公区域、财务室、计算机机房、医技区、实验室、药库、血库、各放射治疗区、同位素室及同位素物料区以及传染病院的清洁区、半污染区和污染区等处配置出入口控制系统。

②系统应有可靠的电源以确保系统的正常使用；应与消防报警系统联动，当发生火灾时应确保开启相应区域的疏散门和通道；宜采用非接触式智能卡。

（3）电子巡查系统宜结合出入口控制系统进行配置。

（4）医疗纠纷会谈室宜配置独立的图像监控、语音录音系统。系统宜具有视频、音频信息的显示和存储、图像信息与时间和字符叠加的功能。

（5）医院的消防安全保卫控制室内，宜建立应急联动指挥的功能模块，以预防和处置突发事件。

15.3 疗 养 院

15.3.1 疗养院智能化系统配置，除应符合表15.3.1的规定外，其中业务应用系统和其他各智能化系统配置尚应符合现行行业标准《医疗建筑电气设计规范》JGJ 312和国家现行有关标准的规定。

按照现行行业标准《疗养院建筑设计规范》JGJ 40的规定及设计标准，疗养院建筑可分为综合性疗养院和专科疗养院。疗养院主要包括疗养、理疗、医技等业务区域；养员活动室，营养食堂等。

16 体 育 建 筑

16.0.1 体育建筑智能化系统工程设计应统筹规划、综合利用,充分兼顾体育建筑赛后的多功能使用和满足体育建筑运营发展,因此,在满足体育竞赛业务信息化应用和体育建筑的信息化管理的需要同时,应具备其他多功能使用环境设施的基础保障。

16.0.2 体育建筑智能化系统配置,除应符合表 16.0.2 的规定外,其中业务应用系统和其他各智能化系统配置尚应符合国家现行有关标准的规定。

体育建筑智能化系统工程应根据体育建筑设计等级及设计标准,选配相关的智能化系统。按照现行行业标准《体育建筑设计规范》JGJ 31 的规定及设计标准,体育建筑可分为特级、甲级、乙级、丙级。特级:举办国际级综合赛事;甲级:举办全国性和单项国际赛事;乙级:举办地区性和全国单项赛事;丙级:举办地方性、群众性赛事。

16.0.8 公共广播系统应根据功能分区、防火分区、赛事信息广播控制、应急广播控制和广播线路路由等因素确定系统的输出分路。应根据体育建筑的功能、规模、形状和混响时间要求等,合理布置扬声器,确保竞赛内场、观众席的音响效果达到有关规定的要求。

16.0.9 火灾自动报警系统对报警区域和探测区域的划分应结合体育场(馆)赛事期间功能分区,对于高大空间的竞赛、训练场(馆)、新闻发布厅等不同的空间特点,选用不同的、行之有效的火灾探测方式,确保其安全可靠性。系统应采取声光报警方式。

16.0.10 安全技术防范系统应配置安防信息综合管理、安防专用通信、入侵报警、视频安防监控、出入口控制、停车库(场)管理和电子巡查管理等系统。

159

17 商店建筑

17.0.2 商店建筑智能化系统配置,除应符合表 17.0.2 的规定外,其中业务应用系统和其他各智能化系统配置尚应符合国家现行有关标准的规定。

商店建筑智能化系统工程应根据商店建筑设计分类及设计标准,选配相关的智能化系统。按照现行行业标准《商店建筑设计规范》JGJ 48—2014 的规定及设计标准,可根据其使用类别、建筑面积分为大、中、小型。其中百货店、购物中心,大型:建筑面积大于15000m²;中型:建筑面积为 3000m²～15000m²;小型:建筑面积小于 3000m²。本标准以百货店、购物中心为示范案例作出智能化配置选项表。其他超级市场、菜市场、专业店均可对应分类参照施行。

17.0.6 用户电话交换系统,应在商店建筑内总服务台、办公管理区域和各商业经营席位宜配置内线电话和直线电话,在公共区域的适当部位应配置公用直线和内线电话及无障碍电话。

· 160 ·

18 通用工业建筑

18.0.2 本章对满足通用工业建筑的通用性生产业务运营需要的智能化系统建设做出规定,通用工业建筑智能化系统配置,除应符合表18.0.2的规定外,其中业务应用系统和其他各智能化系统配置尚应符合国家现行有关标准的规定。

18.0.8 建筑设备管理系统应确保生产所需的各种能源供应的品质和可靠性,提高产品质量及合格率。